Prüfungstraining

AP® German Language and Culture

Katharina Barbe

Volker Langeheine

Ninja Nagel

Siggi Piwek

John Stark

Friedemann Stübing

Deutsch als Fremdsprache
Prüfungstraining
AP® German Language and Culture

Im Auftrag des Verlages erarbeitet von
Katharina Barbe, Volker Langeheine, Ninja Nagel, Siggi Piwek, John Stark, Friedemann Stübing

Redaktion: Katrin Rebitzki, Menemsha MacBain (englische Texte), Gertrud Deutz (Projektleitung)

Umschlaggestaltung: hawemannundmosch, konzeption und gestaltung, Berlin

Layout und technische Umsetzung: zweiband.media, Berlin

Symbole	
2 4	Hörtext auf CD 2, Track 4

www.cornelsen.de

Die Links zu externen Webseiten Dritter, die in diesem Lehrwerk angegeben sind,
wurden vor Drucklegung sorgfältig auf ihre Aktualität geprüft. Der Verlag übernimmt keine Gewähr
für die Aktualität und den Inhalt dieser Seiten oder solcher, die mit ihnen verlinkt sind.

1. Auflage, 2. Druck 2014

Alle Drucke dieser Auflage sind inhaltlich unverändert und können im Unterricht nebeneinander
verwendet werden.

© 2013 Cornelsen Schulverlage GmbH, Berlin

Druck: orthdruk, Bialystok

ISBN 978-3-06-020872-2

Inhalt gedruckt auf säurefreiem Papier aus nachhaltiger Forstwirtschaft.

Preparing for the AP® German exam is challenging. This book will give you an overview of the exam and let you practice the different tasks required. It is meant as supplementary material to make your life a little easier when getting ready for the exam.

The book consists of eight chapters and follows the AP® exam guidelines:

0 Introduction
1 Interpretive Communication: Print Texts
2 Interpretive Communication: Print and Audio Texts (combined)
3 Interpretive Communication: Audio Texts
4 Interpersonal Writing: E-mail Reply
5 Presentational Writing: Persuasive Essay
6 Interpersonal Speaking: Conversation
7 Presentational Speaking: Cultural Comparison
8 Practice Exam

Each chapter includes texts on a variety of topics, all of which are connected to the six official themes of AP® German Language and Culture:

→ Global Challenges
→ Science and Technology
→ Contemporary Life
→ Personal and Public Identities
→ Families and Communities
→ Beauty and Aesthetics

Teachers and students can choose either a thematic approach or practice one skill at a time. Each chapter begins with an introduction, including an overview and instructions, which were taken directly from the official AP® framework. Each chapter also presents test-taking strategies and a selection of useful expressions. Chapters consist of six or ten different practice assignments.

Text selections have different degrees of difficulty. Some might be easier than on the actual AP® test and others might be more challenging. Several print texts might also be longer than those on the AP® exam.

All audio recordings are available on the included CD. The Teacher Information Packet, available online (www.cornelsen.de/daf), includes transcripts, teaching ideas and German/English vocabulary for all texts included in the textbook.

This publication is the result of the collaboration of six experienced German teachers, who have taught at the elementary, secondary and post-secondary levels. It serves to familiarize you with the AP® German Language and Culture exam. The authors are not affiliated with the College Board.

The authors wish to thank Karen Calvert (Neuqua Valley High School), Amy Letcher (Barrington High School) and Karen McCann (Lyons Township High School) for trying out materials and providing valuable feedback.

Table of Contents

Introduction
Exam Overview   6

Chapter 1 – Interpretive Communication: Print Texts
Introduction   8
1-1   Science and Technology – Transportation   10
1-2   Families and Communities – Diversity   12
1-3   Personal and Public Identities – National Identity   14
1-4   Global Challenges – Environmental Issues   16
1-5   Beauty and Aesthetics – Fashion and Design   18
1-6   Contemporary Life – Entertainment, Travel and Leisure   20
1-7   Contemporary Life – Social Customs and Values   22
1-8   Global Challenges – Economic Issues   24
1-9   Contemporary Life – Education and Career   26
1-10   Beauty and Aesthetics – Fashion and Design   28

Chapter 2 – Interpretive Communication: Print and Audio Texts (combined)
Introduction   30
2-1   Global Challenges – Economic Issues   33
2-2   Science and Technology – Social Impacts   36
2-3   Families and Communities – Urban, Suburban and Rural Life   39
2-4   Beauty and Aesthetics – Language and Literature   42
2-5   Personal and Public Identities – National Identity   45
2-6   Contemporary Life – Health and Well-Being   48

Chapter 3 – Interpretive Communication: Audio Texts
Introduction   51
3-1   Beauty and Aesthetics – Fashion and Design   52
3-2   Science and Technology – Healthcare and Medicine   53
3-3   Contemporary Life – Education and Career   54
3-4   Families and Communities – Urban, Suburban and Rural Life   55
3-5   Personal and Public Identities – National Identity   56
3-6   Global Challenges – Environmental Issues   57

Chapter 4 – Interpersonal Writing: E-mail Reply
Introduction   58
4-1   Global Challenges – Environmental Issues   62
4-2   Science and Technology – Ethical Considerations   63
4-3   Science and Technology – Personal Technologies   64
4-4   Contemporary Life – Entertainment, Travel and Leisure   65
4-5   Contemporary Life – Education and Career   66
4-6   Contemporary Life – Health and Well-Being   67
4-7   Personal and Public Identities – National Identity   68
4-8   Families and Communities – Relationships   69
4-9   Families and Communities – Urban, Suburban and Rural Life   70
4-10   Beauty and Aesthetics – Language and Literature   71

Chapter 5 – Presentational Writing: Persuasive Essay

Introduction		72
5-1	Global Challenges – Economic Issues	78
5-2	Beauty and Aesthetics – Fashion and Design	80
5-3	Science and Technology – Healthcare and Medicine	82
5-4	Contemporary Life – Social Customs and Values	84
5-5	Personal and Public Identities – National Identity	86
5-6	Families and Communities – Urban, Suburban and Rural Life	88

Chapter 6 – Interpersonal Speaking: Conversation

Introduction		90
6-1	Global Challenges – Environmental Issues	94
6-2	Beauty and Aesthetics – Visual Arts	95
6-3	Contemporary Life – Entertainment, Travel and Leisure	96
6-4	Families and Communities – Diversity	97
6-5	Families and Communities – Family Structure	98
6-6	Science and Technology – Personal Technologies	99
6-7	Personal and Public Identities – Stereotypes	100
6-8	Personal and Public Identities – National Identity	101
6-9	Science and Technology – Healthcare and Medicine	102
6-10	Families and Communities – Urban, Suburban and Rural Life	103

Chapter 7 – Presentational Speaking: Cultural Comparison

Introduction		104
7-1	Global Challenges – Environmental Issues	108
7-2	Personal and Public Identities – National Identity	108
7-3	Contemporary Life – Education and Career	108
7-4	Contemporary Life – Social Customs and Values	108
7-5	Contemporary Life – Entertainment, Travel and Leisure	108
7-6	Beauty and Aesthetics – Architecture	109
7-7	Families and Communities – Diversity	109
7-8	Science and Technology – Healthcare and Medicine	109
7-9	Personal and Public Identities – National Identity	109
7-10	Contemporary Life – Entertainment, Travel and Leisure	109

Chapter 8 – Practice Exam — **110**

Appendix	
Credits	140
Track list	141

Exam Overview

The exam is 3 hours long and includes a 95-minute multiple-choice section and an 85-minute free-response section. Each section accounts for half of the student's exam grade.

Section I – Multiple Choice

Section I assesses Interpretive Communication, that is, how well you can read, understand and reflect on a variety of texts and audio materials. You will be asked about significant details in the text, the text's purpose, and its intended audience. You should be able to identify a text's main points and make inferences and predictions based on them.

Part A consists of a variety of authentic print materials (e.g., journalistic texts, announcements, advertisements, letters, statistics, and tables).

Part B consists of a variety of authentic audio materials, including interviews, conversations, and brief presentations. This section is divided into two subsections. The first subsection includes audio recordings that are paired with print materials; the second consists solely of audio recordings. You will have time to read the preview and skim the questions before listening to the audio. During the actual exam, all audio recordings will be played twice.

Section II – Free Response

This section assesses Interpersonal and Presentational Communication. That basically means how well you can converse, write and present in German.

In the **written portion**, you will demonstrate your ability to write in the Interpersonal Mode by reading and responding to an e-mail message. For this task you will have 15 minutes. The second writing task is a persuasive essay where you are expected to use the Presentational Mode. You will be confronted with three different sources, two text-based sources (a table or chart and an article, for example) and one thematically related audio source, which you will hear twice. Then you will have 40 minutes to write an essay in which you should persuade the reader to see your point of view. It is important that you incorporate information from all three sources. Throughout the 40-minute writing period, you will have access to the print sources and any notes you might have taken while listening to the audio.

The **speaking portion** has two parts. Part I assesses speaking in the Interpersonal Mode by asking you to respond to questions or statements as part of a simulated conversation. You will receive an outline of the conversations as well as an overview of the general topic of conversation. Part II assesses speaking in the Presentational Mode by asking you to give a 2-minute presentation based on a prompt. In the presentation you will need to compare cultural features of your own community to those in German-speaking countries, with which you should be familiar. You are encouraged to cite examples from material you have read, viewed and listened to during your studies of German, as well as from personal experience and observation.

Structure of the AP® Exam

Section	Number of questions	Percent of final score	Time
Section I – Multiple Choice		50	~ 95 minutes
Part A Interpretive Communication: Print Texts (reading comprehension)	30		~ 40 minutes
Part B Interpretive Communication: Print and Audio Texts (combined)	35		~ 55 minutes
Interpretive Communication: Audio Texts			
Section II – Free Response		50	~ 85 minutes
Interpersonal Writing: E-mail Reply	1 prompt		~ 15 minutes
Presentational Writing: Persuasive Essay	1 prompt		~ 55 minutes
Interpersonal Speaking: Conversation	5 prompts		20 seconds for each response
Presentational Speaking: Cultural Comparison	1 prompt		2 minutes to respond

Based on AP® German Language and Culture Exam 2011, p. 39–40.

Introduction

In this section, you will be asked to read several authentic texts and answer multiple-choice questions about them. Texts include newspaper articles, advertisements, letters, statistics presented graphically as well as several other text types. You will see the following instructions:

> → You will read several selections. Each selection is accompanied by a number of questions.
> For each question, choose the response that is best according to the selection and mark your answer on your answer sheet.
> → *Sie werden im folgenden Teil verschiedene Texte lesen. Nach jeder Auswahl folgen einige Fragen. Wählen Sie für jede Frage die beste Antwort für diese Textauswahl und markieren Sie Ihre Antwort auf dem Antwortbogen!*

This part of the exam focuses on your ability to read and understand texts. Before you answer the multiple-choice questions make sure you have understood the text as well as possible using the strategies listed below. You will not only be asked questions regarding the context, the intended audience and the purpose of the text, but also questions regarding the style. For example, is the text primarily informative or emotional? In addition, there may be questions that ask you to make logical assumptions based on the text. You may need to decide, for example, which continuation or response would be consistent with the text.

Reading Strategies

→ Try to discover the basic message of a text through holistic understanding. You do not need to know every single word to get the general idea.
→ Figure out what kind of text it is by using your previous knowledge. Ask yourself questions like: Who wrote the text? What is the author's intent? Who is the intended audience?
→ The title or headline of a text is important since it often indicates the specific topic of the text. You might be familiar with the theme already.
→ The layout and the source of a text may indicate what kind of text it is and where it was published. Commonly used texts include newspaper articles, advertisements, letters, graphs, or e-mail messages.
→ Visuals are frequently used to illustrate important aspects of the text.
→ Look for names of people, cities and recognizable cultural items in the text. Familiar dates and measurements can also be valuable clues.
→ You might be familiar with cognates and international words as well as with frequently used abbreviations.
→ Finding the most important words (keywords, often nouns) may help you to understand the main idea and structure of a text.
→ A summary of the basic idea can often be found at the very beginning or at the end of a text. Each paragraph may focus on a specific aspect of the topic.

→ You might be able to visualize the structure of the text through a drawing, a diagram or other graphic organizers, or simply by underlining or circling words.

→ Use the textual context to gain an understanding of a specific word or expression. The preceding or following sentence might paraphrase or provide a definition.

→ Practice makes perfect. Take your time and fully concentrate when you read the text. Reflect on the reading by asking yourself some true or false questions.

Strategies Before, During and After Reading

Pre-Reading	Reading	Post-Reading
→ Read the *Übersicht* → Read the headline and maybe the first paragraph → What do you know about the topic? → Read the questions → Skim the text → Can you already answer some questions?	→ Read the options given to the questions → Read the text carefully → Find the main idea, then focus on context → Visualize the content → Underline or highlight keywords or words you identified in the question → Can you answer the questions now?	→ Pull together what you have read → Did you answer all questions?

1-1 Science and Technology – Transportation

Übersicht

In diesem Text geht es um Reisen mit der Deutschen Bahn. Die ursprüngliche Werbung wurde 2012 in Deutschland in Zugreiseplänen und Zeitschriften der Deutschen Bahn veröffentlicht.

Unser Angebot

Egal wohin. Immer entspannt.
Mit dem Sparpreis ab 29 Euro.
Unterwegs ganz wie zu Hause fühlen.

Ganz Deutschland ab 29 Euro: Einfach einsteigen, zurücklehnen und entspannt reisen.
Das Angebot gilt für eine einfache Fahrt in der 2. Klasse, auch im ICE. Zugbindung.
3 Tage Vorverkaufsfrist. Nur solange der Vorrat reicht. Mit persönlicher Beratung 5 Euro mehr.
Erhältlich überall, wo es Fahrkarten gibt, und unter **www.bahn.de**.

Unser Tipp

Mit der BahnCard 25 erhalten Sie auf den Sparpreis zusätzlich 25 % Rabatt. Zudem haben Sie mit der BahnCard die Möglichkeit, auf jeder Fahrt bahn.bonus-Punkte zu sammeln, die Sie gegen wertvolle Prämien eintauschen können. Infos unter **www.bahn.de/bahnbonus**.

---

1. **Was ist der Zweck dieser Werbeanzeige?**

    A   Über Vorteile des Bahnfahrens zu informieren

    B   Für Sparangebote der Bahn zu werben

    C   Über eine Reise mit der Bahn zu berichten

    D   Bahnreisende auf eine Bahnfahrt vorzubereiten

2. **Wer wird sich vermutlich am meisten für diese Werbeanzeige interessieren?**

    A   Familien mit Kindern

    B   Autofahrer und Autofahrerinnen

    C   Bahnfahrer und Bahnfahrerinnen

    D   Schüler und Schülerinnen

3. **Was wird für 29 Euro alles geboten?**

    A   Eine Bahnfahrkarte für eine Fahrt in der 2. Klasse und persönliche Beratung

    B   Eine Bahnfahrkarte für eine Bahnfahrt in der 2. Klasse in ganz Deutschland

    C   Bonuspunkte für Prämien

    D   Eine Bahnfahrkarte für eine Fahrt in der 2. Klasse und eine BahnCard 25

4. **Was ist ein Nachteil dieses Angebots?**

    A   Man fühlt sich unterwegs wie zu Hause.

    B   Es gilt nicht für Fahrten mit dem ICE.

    C   Man muss eine BahnCard haben.

    D   Es gibt nur eine begrenzte Zahl von Tickets zum Sparpreis.

5. **Welchen Vorteil bietet die BahnCard 25 in Kombination mit dem Sparpreisangebot?**

    A   Wer unter 25 Jahre alt ist, bezahlt weniger für Bahnfahrkarten.

    B   Wer eine BahnCard 25 hat, hat keine Zugbindung.

    C   Mit der BahnCard 25 gibt es 25 % Rabatt auf den Sparpreis.

    D   Wer eine BahnCard hat, bekommt auch bei Fahrten ins Ausland 25 % Rabatt auf den Sparpreis.

6. **Sie hätten gern weitere Informationen über das Sparpreisangebot ab 29 Euro der Deutschen Bahn und schreiben eine E-Mail an die Abteilung Kundendialog in Frankfurt am Main. Wie würden Sie Ihre Anfrage am besten formulieren?**

    A   Schickt mir doch bitte mehr Informationen zu eurem Sparpreisangebot!

    B   Könnten Sie mir bitte mehr Informationen über Ihr Sparpreisangebot schicken?

    C   Ich möchte dich darum bitten, mir mehr Infos über dein Sparpreisangebot zu schicken.

    D   Schicken Sie mir sofort mehr Informationen über Ihr Sparpreisangebot!

1-2 Families and Communities – Diversity

Übersicht

In diesem Text geht es um eine gesellschaftliche Gruppe, deren Mitglieder gern Currywurst essen.
Der Artikel wurde 2011 in Deutschland auf der Webseite der Hannoverschen Nachrichten veröffentlicht.

Hannoversche Currywurst Gesellschaft

Netzwerk mit Würzsoße

Hannover. Das Du ist Pflicht. Und Vegetarier darf man nicht sein. Die Hannoversche Currywurst-Gesellschaft ruft einmal im Monat zum gemeinsamen Mittagstisch auf – einziges Gericht: Currywurst.

Zu den Treffen in Kantinen, Vereinsheimen und auch Edelgaststätten kommen mittlerweile jeweils
5   mehr als 100 Teilnehmer.

Im feinen Restaurant des Mercure Hotels Medical Park Hannover wuseln uniformierte Kellner durch die langen Reihen mit weiß gedeckten Tischen. „Noch jemand Nachschub?", fragt die junge Servicekraft und hält den Gästen ein Silbertablett hin. Darauf finden sich, appetitlich aufgereiht, die Enden kunstvoll aufgeschnitten: Currywürste, nichts als Currywürste.

10   An die 200 Exemplare gehen diesmal weg, auf feinem Porzellan, aber klassisch mit Pommes. Auf den Tischen stehen kleine Schälchen mit Mayonnaise, dazu gibt es Apfelschorle. Pauschal zehn Euro kostet das Mahl, Nachschlag inklusive. Jeder zahlt selbst.

Es ist Mittagszeit, Freiberufler, Unternehmer, Angestellte, Arbeiter und Rentner machen hier Pause ganz im Namen des beliebtesten Imbisses der Deutschen. Krawatte und Anzug sind ebenso
15   vertreten wie T-Shirt und Kapuzenpulli. Die Currywurst als Gleichmacher: „Vom Chef bis zur Sekretärin, das geht bei uns querbeet. Und alle müssen sich duzen", sagt Hayo Göhmann, Inhaber einer Medienagentur.

860 Mitglieder zählt die Hannoversche Currywurst Gesellschaft (HCG) inzwischen. Ins Leben gerufen wurde sie vor zwei Jahren von Alejandro „Alex" Barrios (39), einem Spanier, der in einem
20   Dorf bei Stadthagen aufgewachsen ist.

„Es war eigentlich eine Schnapsidee", erzählt der regionale Verkaufsleiter einer Hotel-Kette über die HCG-Gründung – entstanden aus dem Mittagstreff mit einem Kunden, der keine Lust auf das übliche Hotelessen gehabt habe. „Also haben wir uns auf eine Wurst in der Stadt getroffen."
Dann bildete Barrios über den Internet-Dienst Xing eine Fangruppe und nannte diese Hannoversche
25   Currywurst Gesellschaft. Deren Mitglieder bezeichnen ihn halb ehrfürchtig, halb spöttelnd als Präsident.

Unterschiedlichste Lokale

Die Treffen im Zeichen der Wurst mit der roten Würzsoße finden in den unterschiedlichsten Lokalen in der niedersächsischen Landeshauptstadt statt, in der Kantine von VW Nutzfahrzeuge ebenso wie in gutbürgerlichen Restaurants, in denen man Currywurst nicht unbedingt auf der regulären Karte findet.

Bei der Beilage sind die Wirte frei, Pommes aber die Regel. „Wir machen den Gastronomen keine Vorschriften", betont Göhmann. Nur die Kapazitäten müssten für die Massenspeisung ausreichen. Man wolle keine Sonderpreise, keine Rabatte, sondern einfach nur Currywurst essen und dabei ungezwungen plaudern. Ein Ranking macht die HCG nicht. „Wir sind kein Bewertungsportal."

Für Präsident Barrios steht neben den Netzwerk-Gesprächen auch eine soziale Komponente im Vordergrund. So veranstalte die HCG zwei bis drei Mal im Jahr eine Aktion für den guten Zweck. „Wir sitzen auf der Sonnenseite des Lebens. Davon wollen wir ein bisschen abgeben."

1. **Was ist die Absicht des Artikels?**
   A   Die Geschichte der Currywurst darzustellen
   B   Eine Currywurst-Gesellschaft vorzustellen
   C   Werbung für Currywurst zu machen
   D   Currywurst-Restaurants in Hannover vorzustellen

2. **Wer hat die HCG gegründet?**
   A   Eine junge Servicekraft
   B   Der Inhaber einer Medienagentur
   C   Ein Spanier
   D   Das Mercure Hotel Medical Park Hannover

3. **Wo finden die Treffen der HCG statt?**
   A   In verschiedenen Lokalen
   B   Nur in feinen Restaurants
   C   Im Vereinsheim der Gesellschaft
   D   In der Kantine von VW

4. **Welche Funktion haben die Treffen?**
   A   Gemeinsam zu essen und den Präsidenten kennenzulernen
   B   Die Currywürste in Restaurants zu bewerten
   C   Currywurst klassisch mit Pommes zu essen
   D   Currywurst zu essen und miteinander zu sprechen

5. **Welche der folgenden Überschriften würde auch gut zu diesem Text passen?**
   A   Edelrestaurants in der niedersächsischen Landeshauptstadt im Ranking
   B   Currywurst oder Döner?
   C   Currywurstfans in Hannover organisieren sich
   D   Was essen die Deutschen am liebsten?

1-3 Personal and Public Identities – National Identity

Übersicht

Dieses Schaubild stellt tägliche Aktivitäten der Deutschen dar. Die ursprüngliche Grafik wurde 2009 nach Angaben der OECD von GLOBUS veröffentlicht.

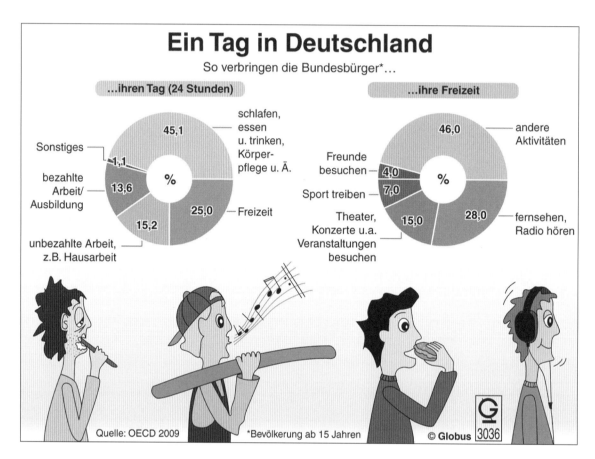

1. **Was zeigt die Grafik?**
   A   Was die Deutschen in ihrer Freizeit machen
   B   Wie die Deutschen den Tag verbringen
   C   Wie viele Stunden die Deutschen jeden Tag arbeiten
   D   Wer in Deutschland am meisten Freizeit hat

2. **Was machen Bundesbürger laut dieser Grafik am wenigsten in der Freizeit?**
   A   Fernsehen und Radio hören
   B   Sport treiben
   C   Freunde besuchen
   D   Theater, Konzerte und andere Veranstaltungen besuchen

3. **Wie hoch ist der Anteil unbezahlter Arbeit im Tagesablauf der Bundesbürger?**
   A   46 %
   B   13,6 %
   C   25 %
   D   15,2 %

4. **Wer würde sich am meisten für diese Grafik interessieren?**
   A   Theologen
   B   Architekten
   C   Sprachwissenschaftler
   D   Sozialwissenschaftler

5. **Was bedeutet die in der Grafik benutzte Abkürzung „u. Ä."?**
   A   unter Älteren
   B   und Ähnliches
   C   um Ämter
   D   unser Ärger

1-4 Global Challenges – Environmental Issues

Übersicht

In diesem Text geht es um die Vorstellungen der Partei BÜNDNIS 90/DIE GRÜNEN von Umwelt und davon, wie sie geschützt werden sollte. Der Artikel wurde im August 2011 auf der Webseite dieser politischen Partei in Deutschland veröffentlicht.

Umwelt

Die Bewahrung der natürlichen Lebensgrundlagen ist unser zentrales Anliegen und nachhaltige Entwicklung unser Leitbegriff.

Eine intakte Umwelt ist die **Lebensgrundlage** für uns und unsere Kinder. Wir treten dafür ein, die Industriegesellschaften so zu modernisieren, dass unser Lebensstil die Lebenschancen von morgen
5   nicht zerstört. Der Wohlstand einiger darf nicht länger zu Lasten anderer oder **kommender Generationen** gehen. Grüne Umweltpolitik schließt die Dimension der **Gerechtigkeit** von vornherein ein. Lediglich 15 Prozent der Weltbevölkerung verbrauchen über die Hälfte der Rohstoffe weltweit. Sie tragen mit ihrer verschwenderischen Lebensweise maßgeblich zur **Erwärmung des Weltklimas** bei. Die Zerstörung der Lebensgrundlagen kommender Generationen ist somit in
10 vollem Gang. Ein Beispiel ist die **industrielle Überfischung** und **Meeresverschmutzung**. Sie geht auf Kosten der Zukunft und nimmt vielen Fischerinnen und Fischern ihren Lebensunterhalt.

Wir setzen dieser zerstörerischen Lebens- und Wirtschaftsweise unseren neuen **grünen Gesellschaftsvertrag** entgegen. Er vereint ökologisches Leben und Wirtschaften mit einer sozialen Perspektive. Eine nachhaltige und gerechte Nutzung der natürlichen **Ressourcen** macht sich
15 weniger abhängig von endlichen Ressourcen. Flüsse, Luft und Böden dürfen nicht mehr scheinbar kostenlos zur Verfügung stehen. Wir brauchen eine ökologisch ausgerichtete **Wald- und Landbewirtschaftung** sowie Fischerei. Den Flächenverbrauch wollen wir reduzieren und umweltgerechte Grenzwerte für Produkte und ihre Herstellung einführen. Für ein starkes Umweltrecht ist ein **Umweltgesetzbuch** nötig, das alle entsprechenden Gesetze zusammenfasst.

20 Wir wollen **Lebensräume** für Tiere und Pflanzen schützen und die biologische Vielfalt erhalten. Dafür müssen **Naturschutzgebiete** erhalten und möglichst großräumig vernetzt werden. Naturschutz, sanfter Tourismus und eine ökologische Landwirtschaft sind Teil grüner Umweltpolitik.

Die letzten großen **Naturräume der Welt** – wie die Antarktis, die Weltmeere und die Urwälder – müssen durch völkerrechtlich bindende Verträge geschützt werden. Wir brauchen eine stärkere
25 und finanziell besser ausgestattete **UN-Umweltorganisation**, damit internationaler Umweltschutz ein größeres Gewicht erhält. Im Rahmen der Welthandelsabkommen wollen wir **ökologische Mindeststandards** durchsetzen.

1. **Was ist das Thema des Artikels?**
   A Die Gefährdungen der Umwelt
   B Das umweltpolitische Programm der Grünen
   C Erneuerbare Energien
   D Die Aufgaben der UN-Umweltorganisation

2. **Was ist kein Teil grüner Umweltpolitik?**
   A Eine ökologische Landwirtschaft
   B Sanfter Tourismus
   C Gesetze zur Förderung des Wohlstands
   D Naturschutz

3. **Worauf beruht der „grüne Gesellschaftsvertrag" (Zeile 12/13)?**
   A Auf der Durchsetzung internationaler ökologischer Mindeststandards
   B Auf einer Kombination aus ökologischen und sozialen Grundlagen
   C Auf Maßnahmen gegen die Erwärmung des Weltklimas
   D Auf einer finanziell besser ausgestatteten UN-Umweltorganisation

4. **Warum ist eine intakte Umwelt wichtig?**
   A Sie garantiert den Wohlstand kommender Generationen.
   B Zukünftige Generationen brauchen kein Umweltgesetzbuch.
   C Sie ist ein zentrales Anliegen.
   D Sie ist unsere gegenwärtige und zukünftige Lebensgrundlage.

5. **Nur _____ Prozent der Weltbevölkerung verbrauchen mehr als _____ Prozent der Rohstoffe.**
   A 15 – 15
   B 50 – 50
   C 15 – 50
   D 50 – 15

6. **Sie wollen Cem Özdemir, einem der beiden Vorsitzenden der Partei BÜNDNIS 90/DIE GRÜNEN, eine E-Mail schicken. Welche der folgenden Formulierungen wäre am passendsten?**
   A Hi Cem, ich würde gerne mehr über euer Umweltprogramm wissen!
   B Sehr geehrter Herr Özdemir, kannst du mir bitte mehr Infos über euer Umweltprogramm schicken?
   C Lieber Herr Özdemir, könnten Sie mir bitte weitere Informationen über Ihr Umweltprogramm schicken?
   D Find' ich total toll, was ihr da macht, hätte gerne mehr Infos.

1-5 Beauty and Aesthetics – Fashion and Design

Übersicht
In diesem Text geht es um Mode beim Oktoberfest. Der leicht gekürzte Artikel wurde 2011 in der WELT Online veröffentlicht.

Besser knackige Lederhose als superkurzes Dirndl

Traditionelle Muster, Bauernkaros und Hüte sind auf der Wiesn unverzichtbar. Doch: Damen, die genug vom Dirndl haben, dürfen auch knackige Lederhosen wählen.

Ihre Beliebtheit ist ungeschlagen: Für viele ist ein Oktoberfest-Besuch ohne Dirndl oder Lederhose einfach unvorstellbar. „Die Nachfrage ist sowohl bei Damen als auch bei Herren nach wie vor sehr
5   stark", sagt Nina Munz von Trachten Angermaier in München. Aber auch außerhalb Bayerns findet man derzeit viele Trachten in den Läden: Das zünftige Oktoberfest ist ein Verkaufsschlager in ganz Deutschland, vielerorts gibt es bayerisch-angehauchte Bierfeste. Wie schon im vergangenen Jahr hat die Trachtenmode ihre Extravaganzen und modischen Sprünge zurückgestellt – die Kleider und Hosen sind klassischer, dezenter und reduzierter. „Die Tracht ist mehr an die Tradition angelehnt,
10   aber mit deutlichen Einflüssen aus der Mode", erklärt Gabriele Hammerschick, Leiterin der Trachtenabteilung bei Lodenfrey.

So schmücken das Wiesndirndl 2011 des Unternehmens klassische Elemente wie als Ranke angeordnete Eichblätter oder Herzen. Auch ziegenartige Gämsen, in Bayern „Gams" genannt, finden sich als aufgeblasene Stickerei auf den Dirndln.

15   **No-Go: Mini-Dirndl**
Wie in den vergangenen Jahren reichen die meisten Kleider bis unter das Knie oder bis zur Wade. „Mini-Dirndl gehen gar nicht", sagt Nina Munz. Dabei ist allerdings wichtig für das traditionelle Erscheinungsbild: „Die Schürze wird generell zwei Zentimeter kürzer getragen als das Kleid", erklärt Gabriele Hammerschick. Ebenso klassisch sind die Schnitte wieder, sagt Nina Munz. Dirndl
20   haben tiefe Balkon- oder Herzausschnitte und Mieder mit Verschnürungen, Knöpfen und auch Schößchen.

Lederhose für Frauen
Eine Errungenschaft der letzten Jahre bleibe jedoch gefragt, darin sind sich die Experten einig: die Lederhose für Frauen. Es gibt sie in verschiedenen Längen, Qualitäten, Farben und vielen Stick-
25   varianten. Dazu kombiniert man Mieder, T-Shirts oder das Blusen im Karomuster wie bei etwa Spieth & Wensky zu sehen.

Bei den Accessoires sind in diesem Jahr Hüte fast schon Pflicht. Das Wichtigste: „Ausgefallen müssen sie sein", sagt Hammerschick. Auch sonstiger Haarschmuck mit Federn sei angesagt.

Weniger ist mehr
30   Insgesamt sollten Accessoires laut Hammerschick aber zu den auffälligen Kleidern nur begrenzt verwendet werden: „Weniger ist mehr." Sie rät. „Ein ausgefallener Halsschmuck oder Ohrringe reichen schon aus."

Wichtig sind auch die richtigen Schuhe. „Das Gesamtbild muss harmonisch sein", erklärt Hammerschick. Sie rät Damen zu Ballerinas, Pumps oder High-Heels. Vor allem zur Lederhose
35 sollten Frauen einen modischen Schuh tragen und nicht den traditionellen Haferlschuh.

Männer greifen in diesem Jahr zu Farbigem
Männer haben eine begrenzte Auswahl: Sie tragen wie immer Lederhosen in allen Variationen. Aber: Wer modisch sein will, greife in diesem Jahr zu Farbigem, sagt Nina Munz.

Das können bunte Westen oder eine Krachlederne mit farbiger Stickerei sein. Dazu werden
40 passende Wadenwärmer getragen – Angermaier hat die sogenannten Loferl in diesem Jahr in Grün, Pink, Blau und Brombeerfarben im Sortiment. Oder, wie C&A zeigt, kombiniert man ein Tuch in Rot zum blauen Hemd.

1. **Was ist das Thema des Artikels?**
   A   Bayrische Herrenmode beim Oktoberfest
   B   Trachtenmode beim Oktoberfest
   C   Damenmode beim Oktoberfest
   D   Accessoires zu Trachten

2. **Worauf bezieht sich im Text der Satz „Weniger ist mehr." (Zeile 31)?**
   A   Damen sollten mehr Lederhosen tragen.
   B   Damen sollten weniger auffällige Kleider tragen.
   C   Damen sollten weniger Accessoires tragen.
   D   Damen sollten lieber Mini-Dirndl tragen.

3. **Gabriele Hammerschick und Nina Munz …**
   A   arbeiten in der Modebranche im Bereich „Trachten".
   B   besuchen jedes Jahr das Oktoberfest.
   C   sind Modedesignerinnen.
   D   beraten Damen und Herren im Bereich „Deutsche Mode".

4. **Was kennzeichnet dieses Jahr die Herrenmode beim Oktoberfest?**
   A   Männer haben eine große Auswahl.
   B   Sie ist bayrisch angehaucht.
   C   Männer tragen Lederhosen.
   D   Sie ist bunt.

5. **Sie haben die Aufgabe bekommen, einen Essay zum Thema des obigen Artikels zu verfassen. Welches Buch würde Ihnen weitere Informationen geben?**
   A   Das Oktoberfest auf der Theresienwiese
   B   München und das Oktoberfest
   C   Aktuelle Modetrends beim Oktoberfest
   D   Neue Damen- und Herrenmode in Deutschland

1-6 Contemporary Life – Entertainment, Travel and Leisure

Übersicht

In diesem Text geht es um Ferien im Harz. Die Werbung des Aparthotels Panoramic in Bad Lauterberg/ Harz stammt aus den Hausprospekten 2012 und von der Webseite des Hotels.

Familienurlaub im Harz

4 Tage im ***Apart- & Familienhotel Panoramic, ALL-INCLUSIVE Verpflegung.
4 Tage ab 149,- pro Person, 2 Kinder bis 7 Jahre kostenlos!

Der Harz, das nördlichste Mittelgebirge Deutschlands, heißt Sie willkommen – sattgrüne Bergwiesen, naturbelassene Fichtenwälder und kristallklare Seen erwarten Sie. Entdecken Sie den Harz mit all seinen Schönheiten und Sehenswürdigkeiten.

Inklusivleistungen:
ALL-INCLUSIVE Verpflegung mit Frühstücksbuffet, Mittags-Snack, Kaffee und Kuchen am Nachmittag, kalt-warmes Abendbuffet, alle Getränke (alkoholfreie Getränke, Pils, Weizen, Slush Eis, Hauswein, Tee und Kaffee) von 10:00 – 21:00 Uhr in den Restaurants. Nutzung des Hallenbades „Pano Beach" und des Saunabereichs. Kinderbetreuung im Kids Club für Kinder ab 3 Jahren (Mo. – Sa. ganztägig sowie Sonntagvormittag) nach Voranmeldung.
Die ALL-INCLUSIVE-Leistungen beginnen am Anreisetag um 16:00 Uhr und enden am Abreisetag um 10:00 Uhr.

Termine/Preise in Euro pro Person
Anreise täglich.

- 05.05. – 12.05., 10.06. – 19.06., 12.09. – 23.09., 04.11. – 29.11.:
  3 Nächte im DZ 149,- / im EZ 189,-.
- 15.04. – 04.05., 13.05. – 16.05., 20.06. – 30.06., 31.08. –11.09., 24.09. – 05.10.:
  3 Nächte im DZ 189,- / im EZ 239,-.
- 31.03. – 04.04., 17.05. – 09.06., 01.07. – 30.08., 06.10. – 03.11.:
  3 Nächte im DZ 249,- / im EZ 329,-.

Verlängerungsnächte auf Anfrage.

1. **Was ist der Zweck dieser Werbeanzeige?**
    A Den Harz mit anderen Mittelgebirgen zu vergleichen
    B Für einen Aufenthalt mit Familie im Harz zu werben
    C Über eine Reise in den Harz zu berichten
    D Für Gruppenwanderungen im Harz zu werben

2. **Wer wird sich vermutlich am meisten für diese Werbeanzeige interessieren?**
    A Familien mit Kindern
    B Wanderer und Wanderinnen
    C Kinder bis 7 Jahre
    D Einzelreisende

3. **Was wird für 149,- Euro pro Person alles geboten?**
    A Vier Übernachtungen im Doppelzimmer mit all-inclusive Verpflegung
    B Drei Übernachtungen im Doppelzimmer mit all-inclusive Verpflegung
    C Vier Übernachtungen im Einzelzimmer mit all-inclusive Verpflegung
    D Drei Übernachtungen im Einzelzimmer mit all-inclusive Verpflegung

4. **Was ist ein Nachteil dieses Angebots für Familien mit Kindern?**
    A Nur Kinder bis 7 Jahre werden betreut.
    B Am Sonntagvormittag gibt es keine Kinderbetreuung.
    C Kinder unter 3 Jahren dürfen nicht in den Kids Club.
    D Für zwei Kinder bis 7 Jahre ist der Aufenthalt kostenlos.

5. **Wenn man länger als vier Tage im Familienhotel Panoramic bleiben will, soll man …**
    A ein Einzelzimmer buchen.
    B Kinder unter 3 Jahren zu Hause lassen.
    C nicht in den Harz fahren.
    D beim Hotel anfragen.

6. **Sie hätten gern weitere Informationen über das Familienurlaubsangebot und schreiben eine E-Mail an das Aparthotel Panoramic. Wie würden Sie Ihre Anfrage am besten formulieren?**
    A Schickt mir doch bitte mehr Informationen zu eurem Urlaubsangebot für Familien!
    B Könnten Sie mir bitte mehr Informationen über Ihr Urlaubsangebot für Familien schicken?
    C Ich möchte Sie darum bitten, mir mehr Infos über den Harz zu schicken.
    D Schicken Sie mir sofort mehr Informationen über Ihr Angebot für Familienurlaube im Harz!

1-7 Contemporary Life – Social Customs and Values

Übersicht

In diesem Text geht es um einen Weihnachtsmarktbesuch in Braunschweig.
Anna schreibt an ihren Opa Kurt in Wismar.

Hallo Opa,

seit vorgestern bin ich in Braunschweig, der Stadt Heinrichs des Löwen. Endlich Weihnachtsferien!
Nur noch ein paar Tage, dann treffen wir uns alle am Heiligabend wie jedes Jahr nach der Kirche zu
Hause bei dir und Oma in Wismar zur Bescherung. Ich freue mich schon sehr auf das Wiedersehen
5 mit euch, aber heute muss ich dir unbedingt vom tollen Braunschweiger Weihnachtsmarkt
schreiben. Dort waren wir gestern Abend.

Ich finde, die Weihnachtszeit ist einfach die schönste Zeit des Jahres. Es ist auch hier in Braunschweig die Zeit der Weihnachtsmärkte und auch vieler Konzerte, zum Beispiel im Dom, jeden
Samstag und Sonntag von 15:30 bis 17 Uhr.
10 Der große Weihnachtsmarkt findet seit 300 Jahren jedes Jahr auf dem historischen Burgplatz in der
Braunschweiger Altstadt statt. Er heißt „Adventlichterzauber". In der Mitte des „Adventlichter-
zaubers" steht ein riesiger Weihnachtsbaum mit 1.000 Lichtern. Das sieht total toll aus!

Unter diesem Baum gibt es täglich ein Weihnachtskonzert. Vom Rathausturm (der ist 61 Meter
hoch!) sieht man den ganzen Markt im Lichterglanz und Bäume mit ungewöhnlichem Schmuck,
15 zum Beispiel die alte „Heinrichslinde" mit über hundert roten Löwen.
Im Landesmuseum am Burgplatz ist auch ein Adventsstudio, wo man Weihnachtsgeschichten und
Märchen hören kann. Auf dem Platz an der Martinikirche ist eine Bühne, auf der täglich weihnachtliche Theaterstücke wie „Die Braunschweiger Weihnachtsgeschichte" zu sehen sind. Weihnachtsgeschenke kann man an den unglaublich vielen Marktständen auf dem Burgplatz kaufen. Viele
20 Besucher suchen nur schnell noch ein paar kleine Geschenke für Familie und Freunde oder einen
Weihnachtsbaum, aber ich habe mir auch Zeit genommen, um gemütlich in ein paar Braunschweiger Cafés zu sitzen.
Wer Hunger hat, kann weihnachtliche kulinarische Spezialitäten probieren, die in Braunschweig
besonders gut sind. Es gibt viele Süßigkeiten, z. B. gebrannte Mandeln und Stollen, aber auch Würst-
25 chen, Sauerkraut und Kartoffelpuffer. In Braunschweig bringt nicht das Christkind die Geschenke,
sondern der Weihnachtsmann. Jeden Tag ist er auf dem Weihnachtsmarkt und die Besucher können
mit ihm sprechen. Kinder können ihm einen Brief mit ihren Wünschen geben. In der Weihnachts-
werkstatt im Landesmuseum kann man backen, malen und Weihnachtsgeschenke basteln. Der
Braunschweiger Weihnachtsmarkt geht von Ende November bis zum 29. Dezember und ist echt
30 einer der schönsten, die ich je gesehen habe.

Wenn ich bei euch in Wismar bin, kann ich dir noch mehr erzählen und ein paar Bilder zeigen.
Herzliche Grüße aus Braunschweig und bis dann,

deine Anna

---

1. **Warum hat Anna an ihren Opa geschrieben?**
   A Um ihm über den Weihnachtsmarkt in Braunschweig zu berichten
   B Um den gemeinsamen Heiligabend in Wismar zu planen
   C Um ihn für Heiligabend nach Braunschweig einzuladen
   D Um seine Meinung zum Weihnachtsmarkt herauszufinden

2. **Um was für einen Text handelt es sich?**
   A Einen Zeitungsbericht
   B Ein Märchen
   C Einen Brief
   D Eine Geschichte

3. **Wann sind im Braunschweiger Dom Konzerte?**
   A Jeden Nachmittag
   B Jeden Abend
   C Während der Woche
   D Jedes Wochenende

4. **Mit wem können Besucher auf dem Braunschweiger Weihnachtsmarkt sprechen?**
   A Mit dem Christkind
   B Mit dem Nikolaus
   C Mit Heinrich dem Löwen
   D Mit dem Weihnachtsmann

5. **In welchem Stil ist der Text geschrieben?**
   A Aggressiv
   B Mürrisch
   C Persönlich
   D Sachlich

6. **Wie heißt der Weihnachtsmarkt in Braunschweig?**
   A Christkindlmarkt
   B Adventlichterzauber
   C Heinrichslinde
   D Braunschweiger Cafés

7. **Welcher Briefanfang wäre passend für Opas schriftliche Antwort an Anna?**
   A Liebe Anna, über deine Einladung zum Weihnachtsmarkt habe ich mich riesig gefreut.
   B Hallo Anna, eine Postkarte mit einem Bild vom Weihnachtsmarkt wäre viel schöner gewesen.
   C Liebe Anna, ich freue mich, dass du zu Weihnachten wieder nach Wismar kommst.
   D Anna, kauf nicht so viele Geschenke auf dem Weihnachtsmarkt!

1-8 Global Challenges – Economic Issues

Übersicht

In diesem Text geht es um die Nutzung digitaler Medien durch den Burda-Konzern. Der Artikel wurde 2008 in Deutschland im FOCUS online veröffentlicht.

Burda wird zum Multimedia-Konzern

Hubert Burda Media baut sein Digitalgeschäft deutlich aus. In drei Jahren will der Verlag ein Drittel seiner Erlöse mit elektronischen Medien erwirtschaften.

Hubert Burda Media investiert weiter ins Internet und in elektronische Medien. Das Unternehmen werde in den kommenden Jahren „vom klassischen Verlags- und Druckhaus zum Multimedia-
5   Konzern" umgebaut, teilte der Verlag am Mittwoch in München mit. Angesichts eines rückläufigen Druckgeschäfts und eines gesättigten Zeitschriftenmarktes in Deutschland liefere bereits heute der Digitalbereich den größten Wachstumsbeitrag. Die Konzernsparte steigerte den Umsatz um 19 Prozent auf 274,5 Millionen Euro.

Dreh- und Angelpunkt der Wachstumsstrategie sind nach Burda-Angaben „vertikale Marktplätze",
10   auf denen die Konzernmarken ebenso wie die Angebote von Partnern gebündelt und vermarktet werden. Zum Start wird Burda mehr als 40 Marken, Communitys, Bewegtbild-Formate und E-Commerce-Sites mit einer Reichweite von einer halben Milliarde Seitenabrufen pro Monat bündeln.

Wachstumsmarkt Internet erschließen
15   „Diese Internetmärkte werden in den kommenden Jahren ein signifikantes Wachstum zeigen",
sagte Burda-Crossmedia-Vorstand Christiane zu Salm. Allein in Deutschland würden die Online-
Werbeerlöse von einer Milliarde Euro 2008 in den kommenden drei Jahren auf 1,6 Milliarden Euro
steigen. Der E-Commerce werde voraussichtlich von 20,5 Milliarden Euro auf 28 Milliarden Euro
zulegen.

20   Neben dem Ausbau der eigenen elektronischen Medien gewinnt Burda zudem neue Partner für sein Digitalgeschäft. Zum 1. Juli hat der Verlag das weltweit größte soziale Netzwerk MySpace gewonnen. Darüber hinaus kooperiert der Konzern künftig mit ProSieben und kündigt weitere strategische Investitionen und Zukäufe in diesem Bereich an.

Während der Digitalbereich am stärksten wächst, erwirtschafteten die Burda-Zeitschriften im
25   vergangenen Jahr mit 64,3 Prozent nach wie vor den größten Anteil des Umsatzes. Im vergangenen Jahr konnte Burda den Gesamtumsatz nach eigenen Angaben um 2,9 Prozent auf 2,21 Milliarden Euro steigern. Das Konzernergebnis erreichte „den höchsten Stand seit Bestehen des Konzerns". Zahlen zum Gewinn veröffentlicht das Unternehmen traditionell nicht.

1. **Welche Bedeutung hat der Digitalbereich des Herbert Burda Media-Konzerns?**
   A   Er liefert seit vielen Jahren den größten Wachstumsbeitrag.
   B   Er liefert zurzeit den größten Beitrag zum Wachstum des Konzerns.
   C   Er liefert heute einen großen Beitrag zum Wachstum des Konzerns.
   D   Er hat eine große Bedeutung weltweit.

2. **Welchen besonderen Stellenwert haben „vertikale Marktplätze" (Zeile 9) bei Burda?**
   A   Sie sind Treffpunkte im Internet.
   B   Beim Burda-Konzern dreht sich alles um Wachstumsstrategien.
   C   „Vertikale Marktplätze" sind Mittelpunkt der Wachstumsstrategie des Burda-Konzerns.
   D   „Vertikale Marktplätze" sind nicht so wichtig für das Wachstum.

3. **Welche Meinung zum Wachstumsmarkt Internet hat Burda-Crossmedia-Vorstand Christiane zu Salm?**
   A   Sie glaubt, dass die Online-Werbeerlöse in Deutschland auf 1,6 Milliarden Euro zulegen werden.
   B   Sie ist der Meinung, dass der E-Commerce in der Welt auf 28 Milliarden Euro steigen wird.
   C   Sie denkt, dass der E-Commerce in drei Jahren um 20,5 Milliarden Euro steigen wird.
   D   Sie sagt, dass die Online-Werbeerlöse in den nächsten Jahren auf 28 Milliarden Euro ansteigen werden.

4. **Mit welchem Satz würden Sie Burdas Verbindung mit MySpace beschreiben?**
   A   Der Burda-Konzern hat für sein Digitalgeschäft das Netzwerk MySpace gekauft.
   B   MySpace hat in den Burda-Konzern investiert.
   C   Der Burda-Verlag hat in das soziale Netzwerk MySpace investiert.
   D   Das soziale Netzwerk MySpace arbeitet mit dem Burda-Konzern zusammen.

5. **Um in Zukunft weiter zu wachsen, sollte der Burda-Konzern …**
   A   noch weitere neue Zeitschriften in Deutschland auf den Markt bringen.
   B   mehr digitale Produkte anbieten.
   C   mehr klassische Musik verkaufen.
   D   mehr Geld in Druckprodukte investieren.

1-9 Contemporary Life – Education and Career

Übersicht

In diesem Text geht es um Aspekte des Studentenlebens. Der freiberuflich tätige Journalist Hans Peter Wintermann erinnert sich an seine Studienzeit und berät Studenten von heute.

Was gilt es fürs Studium zu bedenken?

Das Studentenleben war bisher mit Abstand die schönste Zeit meines Lebens. Ich stand in einer neuen Stadt auf eigenen Füßen, sammelte Erfahrungen und traf neue Leute.

Es begann mit der Zusage für den Studienplatz und dann galt es, sich im Dschungel zwischen Hörsaal, Mensa, Wohnheim, Bibliothek und den angesagtesten Kneipen der Stadt zurechtzufinden.

5 Eine günstige Unterkunft bekommen manche über das Studentenwerk in einem Wohnheim, aber mir bereitete die Wohnungssuche einige Probleme. Da ich keinen Wohnheimplatz ergattern konnte, half ein Blick auf die schwarzen Bretter der Universität, in die örtliche Zeitung und in die Internetforen, um ein günstiges Zimmer in einer WG zu finden. Aber damit nicht genug, denn ein schönes Studentenleben wollte auch finanziert werden.

10 Mit Miete, Handy, Essen, Lernmaterialien und Studiengebühren wurde das schnell sehr kostspielig. Natürlich wollte ich die Semesterferien auch nicht bei meinen Eltern oder in meiner WG verbringen, sondern die Zeit für Reisen nutzen, und auch die Campus-Nights, die Kneipen- oder Theaterbesuche waren nicht ganz billig. Da kam ich mit dem durchschnittlichen monatlichen Verbrauch eines Studenten von 700 Euro schnell ans Limit. Ganz egal, ob man BAföG, also 15 finanzielle Hilfe vom Staat, oder ein Stipendium bekommt oder einen Nebenjob braucht, ein gut durchdachter Finanzplan ist ein Muss. Ich suchte mir einen Nebenjob und auch hier halfen Studentenwerk und Internetforen weiter.

In der Regel sind Nebenjobs für Studenten der sogenannte „Minijob", auch 450-Euro-Job genannt, oder die „kurzfristige Beschäftigung". Beim Minijob fallen für den Arbeitnehmer keinerlei Steuern 20 oder Sozialabgaben an, dafür darf der Monatsverdienst auf das Jahr gerechnet aber nicht mehr als 450 Euro betragen. Die kurzfristige Beschäftigung hat dagegen für Studenten keine Einkommensgrenze, ist aber steuerpflichtig. Zwei Drittel aller Studenten finanzieren sich ihr Studium unter anderem durch einen Nebenjob, ob nun als Taxifahrer, Kellner oder bereits mit der eigenen Geschäftsidee für die Zukunft. Da Geld bei mir als Student meistens knapp war, erkundigte ich 25 mich mit dem Studentenausweis der Uni auch oft nach einem Studentenrabatt.

Übrigens bestehen erhebliche regionale Unterschiede in den Lebenshaltungskosten von Studenten. So arbeiten Studierende der ehemals westdeutschen Unis durchschnittlich zehn Stunden in der Woche außerhalb der Universitäten. Dagegen arbeiten ihre Kommilitonen an Universitäten in den ehemals ostdeutschen Bundesländern nur vier bis fünf Stunden pro Woche in einem Nebenjob. 30 Man kann dies zum Beispiel durch die Mieten erklären, die in Köln, München, Hamburg oder Frankfurt am Main für einen Studenten im Durchschnitt bei 280 bis 325 Euro liegen. Studiert man aber in Dresden oder Leipzig, liegen die Preise für Mieten wesentlich niedriger. Auch bei den Lebensmittelpreisen gibt es noch Unterschiede.

35 Ob nun eine ehemals ostdeutsche oder eine ehemals westdeutsche Uni, die Anforderungen an einen Studenten und sein Leben bleiben dieselben. Mit guter Organisation und umfassenden Informationen kommt man besser und schneller ans gewünschte Ziel und dann kann man auch wie ich das Studentenleben in vollen Zügen genießen.

1. **Was ist das Thema des Artikels?**
   A Vorteile des Studentenlebens
   B Anforderungen an Studenten
   C Nachteile der Studienzeit
   D Geschichte des Studentenlebens

2. **Was sagt der Text über „Minijobs" (Zeile 18)?**
   A Es gibt nur geringe Chancen für Minijobs.
   B Der Minijob ist eine kurzfristige Beschäftigung und auf einen Monat beschränkt.
   C Der Verdienst ist auf 450 Euro pro Monat begrenzt.
   D Zwei Drittel der Studenten haben einen Minijob.

3. **Warum arbeiten Studenten an ehemals westdeutschen Unis mehr als Studenten an ehemals ostdeutschen Unis?**
   A Die Mieten im ehemaligen Westen sind höher.
   B Die Studenten an den ehemals ostdeutschen Unis arbeiten nicht gerne.
   C Die Lebensmittelpreise in den neuen Bundesländern sind höher.
   D Die Studiengebühren sind in den alten Bundesländern höher.

4. **Was müssen Studenten laut Text tun, um ihr Studium zu finanzieren?**
   A Sie müssen zum Arbeitsamt gehen.
   B Sie müssen BAföG beantragen.
   C Studenten müssen das Studentenwerk um Hilfe bitten.
   D Sie müssen einen Finanzplan machen.

5. **Sie haben die Aufgabe bekommen, den Artikel als Grundlage für eine Diskussion mit jungen Studenten zu verwenden. Was rät der Text den Studenten?**
   A Das Leben zu genießen
   B In Kneipen zu arbeiten
   C An einer Uni in den ehemals ostdeutschen Bundesländern zu studieren
   D Sich gut zu organisieren und Informationen zu sammeln

1-10 Beauty and Aesthetics – Fashion and Design

Übersicht

In diesem Text geht es um eine Katalogbestellung zu Ostern. Es ist ein Brief der Kundenbetreuerin der Katalogfirma, Daniela Müller, an die Kundin, Frau Anna Hofmann.

Betreff: Osterdekoration – Ihre Bestellung vom 15. März

Sehr geehrte Frau Hofmann,

Ihre Bestellung vom 15. März haben wir dankend erhalten. Das 8-tlg. Osterfrühstücks-Set mit 6 Eierbechern sowie je einem Salz- und Pfefferstreuer und das Fensterbild „Osterhase" aus Plauener Spitze werden wir in den nächsten Tagen
5   rechtzeitig zum bevorstehenden Osterfest an Sie ausliefern.

Wegen der starken Nachfrage ist das ebenfalls von Ihnen bestellte 3er Set Deckchen, Bestell-Nr. 180741A, Größe 30 cm im Durchmesser, cremefarben mit farbenfrohen Osterszenen, leider bereits ausverkauft. In den kommenden zwei Wochen erhalten wir jedoch für Stammkunden noch eine Nachlieferung von Ostertischdecken,
10   Bestell-Nr. 180741B, Größe 80x80 cm zum Preis von 14,95 Euro, die ab dem 1. April ausgeliefert werden könnten.

Wir würden uns sehr freuen, wenn Sie ersatzweise diesen Artikel bestellen würden. Versandkosten würden nicht in Rechnung gestellt. Benutzen Sie dazu bitte den beiliegenden Bestellschein oder nutzen Sie unseren Bestellservice online.

15   Sollten Sie weitere Fragen haben, stehen wir Ihnen montags bis samstags von 8:00 – 18:00 Uhr auch telefonisch unter der Rufnummer 01805/222 777 zur Verfügung.

Wir danken für Ihr Verständnis und freuen uns, Ihnen auch zukünftig behilflich sein zu können.

Mit freundlichen Grüßen

20   Daniela Müller
Kunden- und Bestellservice
Bader Versand – Mode.Wohnen.Leben.

Anlagen

---

1. **Warum hat Frau Müller diesen Brief an Frau Hofmann geschrieben?**

    A   Um über ein Problem mit der Bestellung zu informieren

    B   Um über neue Osterangebote zu informieren

    C   Um eine Kundenbefragung durchzuführen

    D   Um auf eine Reklamation zu antworten

2. **Was bedeutet im Text der Ausdruck „wegen der starken Nachfrage" (Zeile 6)?**

    A   Der Artikel wird oft gekauft.

    B   Der Artikel wird nicht mehr hergestellt.

    C   Die Kunden haben zu diesem Artikel viele Fragen.

    D   Der Artikel kann überall im Supermarkt gekauft werden.

3. **Wann kann man den Kunden- und Bestellservice telefonisch erreichen?**

    A   Jeden Tag rund um die Uhr

    B   Montags bis samstags von acht Uhr morgens bis sechs Uhr abends

    C   Montags zwischen 8:00 Uhr und 18:00 Uhr

    D   Jeden Tag von 8:00 Uhr bis 18:00 Uhr

4. **Was soll Frau Hofman tun, wenn Sie die Tischdecke haben möchte?**

    A   Sie soll zwei Wochen warten.

    B   Sie soll die Tischdecke beim Kunden- und Bestellservice abholen.

    C   Sie soll Frau Müller anrufen.

    D   Sie soll einen Bestellschein ausfüllen.

5. **In welchem Ton ist der Brief geschrieben?**

    A   Aggressiv

    B   Emotional

    C   Persönlich

    D   Sachlich

6. **Welche Formulierung wäre passend für eine schriftliche Antwort von Frau Hofmann?**

    A   Hi Daniela! Das kommt überhaupt nicht in die Tüte! Ich werde bestimmt einen anderen Versand finden.

    B   Liebe Daniela, diese Doppelbestellerei vor Ostern mache ich nicht mit.

    C   Sehr geehrte Frau Müller, die Tischdecke gefällt mir auch gut. Deshalb möchte ich auf jeden Fall darauf warten.

    D   Sehr geehrte Frau Müller, eure Tischdecke hätte ich schon gerne. Aber zwei Wochen warten? Nein, das kommt nicht in Frage.

Introduction

The material in this section consists of authentic texts, similar to those presented in the first section. However, here the written text is supplemented by an audio selection with a similar topic. You will be asked to listen carefully to the audio and read not only the text, but also the multiple-choice questions. The audio will be played twice. First, you will see the following instructions:

> → You will listen to several audio selections. The first two audio selections are accompanied by reading selections. When there is a reading selection, you will have a designated amount of time to read it. For each audio selection, first you will have a designated amount of time to read a preview of the selection as well as to skim the questions that you will be asked. Each selection will be played twice. As you listen to each selection, you may take notes. Your notes will not be scored. After listening to each selection the first time, you will have 1 minute to begin answering the questions; after listening to each selection the second time, you will have 15 seconds per question to finish answering the questions. For each question, choose the response that is best according to the audio and/or reading selection and mark your answer on your answer sheet.
>
> → *Sie werden einige Audioauszüge hören. Die ersten beiden Audioauszüge sind mit Lesetexten gekoppelt. In diesem Falle steht Ihnen eine vorgegebene Zeit zum Lesen dieser Texte zur Verfügung. Vor dem Hören jeder Auswahl bekommen Sie etwas Zeit, um sich die Übersicht der Auswahl anzuschauen und die Fragen zu überfliegen. Sie hören jeden Auszug zweimal. Während Sie zuhören, können Sie sich Notizen machen. Ihre Notizen werden nicht benotet.*
> *Nach dem ersten Anhören jeder Auswahl haben Sie 1 Minute Zeit, um mit dem Beantworten der Fragen zu beginnen; nach dem zweiten Anhören jeder Auswahl haben Sie pro Frage 15 Sekunden Zeit, um die Fragen fertig zu beantworten. Wählen Sie für jede Frage die Antwort, die am besten mit der vorgegebenen Auswahl übereinstimmt! Markieren Sie Ihre Antwort auf dem Antwortbogen!*

Reading Strategies

Please use the reading strategies from Chapter 1 (p. 8–9).

Listening Strategies Before, During and After Listening

1. Pre-listening

Take your time and read the *Übersicht* closely. This will help you to determine the topic of the audio part. Can you already make predictions on the basis of the information you found in the *Übersicht*?

→ Do you know anything about this topic?

Read through the multiple-choice questions.

→ If you do not understand a question, read the answers and try to figure out what the question is asking.

2. During Listening

While listening to the audio selection for the **first time**, determine

→ the audio type
→ the main idea(s)
→ the intended audience
→ the mood of the speaker(s)

During the test you will have 1 minute before you hear the audio again. Use the time wisely and look over the multiple-choice questions.

→ Can you answer some questions already? If not, underline keywords you want to focus on when you listen to the text for the second time.

While listening for the **second time**,

→ listen carefully for specific information based on what is asked for in the questions.
→ pay attention to detail, while you might not hear the keywords you identified, listen for clues about these topics.
→ draw meaning from context.

3. Post-listening

After reading the text and listening to the audio twice you are ready to answer the multiple-choice questions. During the test you will have 15 seconds per question. Please keep the following things in mind while you are answering the exam questions:

1 How are the two sources, written and audio, connected?
→ Do they include similar content?
→ Do they support each other?
→ Do they present similar opinions or perspectives?

2 How are the sources different?
→ Does one give you more or different information?
→ Do they present different opinions?
→ Do they offer different perspectives on an issue?

3 Finally, double-check.
→ Did you answer all the questions?

Remember:
- → You do not have to understand every single word!
- → If you are familiar with the topic, draw on your background knowledge.
- → Use all the time allotted.
- → Once you are done, carefully reread the questions and answers that you are not sure about.
- → Concentrate and stay focused!
- → Do not daydream. Listen and take notes!

2-1 Global Challenges – Economic Issues

Quellenmaterial 1

Übersicht

Anhand von drei Beispielen wird in diesem Text erklärt, wie es in jedem Alter zu Arbeitslosigkeit kommen kann. Der leicht gekürzte Text wurde ursprünglich von der Bundeszentrale für Politische Bildung herausgegeben.

Arbeitslosigkeit – wie sie entsteht ...

„Arbeitslosigkeit ist die größte Katastrophe in unserem 21. Jahrhundert, und keine Sau weiß, wie man sie beseitigen kann", sagte ein zwölfjähriger Realschüler (Süddeutsche Zeitung vom 13.6.2003). Warum ist es so schwer, Arbeitslosigkeit abzubauen? Wer könnte das Problem angehen? Was kann ich selbst tun, um nicht arbeitslos zu werden? Um Antworten auf solche Fragen zu finden, muss

5 man erst mal verstehen, wie Arbeitslosigkeit entsteht. Denn nur wenn die Ursachen bekannt sind, kann man etwas dagegen tun. Aber selbst das reicht noch nicht aus, wie wir sehen werden:

Sandro Bertini (30) ist Metallbauer und arbeitete bis vor kurzem in einem kleinen Betrieb in Ü. Der Betrieb produziert fast alles, was am Bau aus Metall ist: Zäune, Aufzüge, Konstruktionen, Industriehallen usw. Trotz der anhaltenden Flaute im Baugewerbe war der Betrieb ausgelastet. Dem

10 Inhaber gelang es erstaunlich gut, immer wieder neue Aufträge an Land zu ziehen bis zu diesem Frühjahr, als die Aufträge plötzlich ausblieben. Es wurden zwei Mitarbeiter entlassen, darunter Sandro Bertini. Herr Bertini hofft jedoch, in seiner ehemaligen Firma wieder eingestellt zu werden, wenn sich die Wirtschaftslage verbessert hat.

Sein Berufsleben lang schon arbeitet Herr Gassmann (55) als Bankkaufmann in einer Großbank,

15 zuletzt im Zahlungsverkehr, der zentral für zwei Bundesländer in D. bearbeitet wird. Verbesserungen der Elektronik und der Telekommunikation machen es möglich, künftig den gesamten Zahlungsverkehr nur noch an zwei Standorten abzuwickeln. Die Bank will dadurch Kosten senken und hat beschlossen, die anderen Standorte in Deutschland aufzulösen. Herr Gassmann hat kein Angebot von seinem Arbeitgeber erhalten und wird deshalb am Ende des Jahres

20 arbeitslos. Er blickt mit wenig Hoffnung in seine berufliche Zukunft.

Jenny Burkhardt (17) aus N. ist auch arbeitslos, genauer gesagt: sie hat keinen Ausbildungsplatz, obwohl sie bereits über 35 Bewerbungen geschrieben hat und auch bereit ist, eine Lehre für unterschiedliche Berufe zu machen. Ein Grund für ihre Situation ist sicherlich der Umstand, dass sie in Mecklenburg-Vorpommern lebt. Ganz Ostdeutschland ist in besonderem Maße vom

25 Lehrstellenmangel betroffen, da nach der deutschen Wiedervereinigung ganze Industriezweige zusammengebrochen sind, und diese Arbeitsplätze bis heute fehlen. Jenny überlegt ernsthaft, wegzuziehen.

Quellenmaterial 2

Übersicht

 In diesem Hörtext nimmt Manfred Casper, Hauptgeschäftsführer des Arbeitgeberverbands Braunschweig, zum Arbeitsmarkt in Deutschland im Jahr 2012 und Deutschlands Rolle in Europa Stellung.

1. **Wen spricht der Artikel „Arbeitslosigkeit – wie sie entsteht ..." (Quellenmaterial 1) an?**
   A Hausfrauen und ihre Kinder
   B Metallbauarbeiter
   C Bankkaufmänner
   D Leser, die sich über das Thema informieren wollen

2. **Welche der drei interviewten Personen sind zur Zeit des Interviews arbeitslos (Quellenmaterial 1)?**
   A Alle
   B Sandro Bertini und Herr Gassmann
   C Sandro Bertini und Jenny Burkhardt
   D Herr Gassmann und Jenny Burkhardt

3. **Laut Text (Quellenmaterial 1) kann Folgendes ein Grund für Arbeitslosigkeit sein:**
   A Große Betriebe
   B Kleine Betriebe
   C Das Alter der Menschen, die eine Arbeit suchen
   D Verbesserungen in der Elektronik und der Telekommunikation

4. **Was plant Jenny, um ihre jetzige Situation zu verändern (Quellenmaterial 1)?**
   A Mehr Bewerbungen zu schreiben
   B Sich von der ehemaligen Firma wieder einstellen zu lassen
   C In einen anderen Teil Deutschlands zu ziehen
   D Auf Arbeitslosengeld vom Staat zu warten

5. **Zweck des Artikels (Quellenmaterial 1) ist, ...**
   A über die ständig steigende Arbeitslosigkeit unter Bankkaufleuten in Deutschland zu informieren.
   B die Ursachen der Arbeitslosigkeit zu erklären.
   C über Deutschlands rückläufige Arbeitslosenzahlen zu informieren.
   D über politische Maßnahmen gegen Arbeitslosigkeit zu berichten.

6. **Wie ist der Stil der Stellungnahme (Quellenmaterial 2)?**
   A Sachlich
   B Lustig
   C Sarkastisch
   D Philosophisch

7. **Was kurbelt laut Quellenmaterial 2 den Arbeitsmarkt an?**

    A   Das hohe Leistungsniveau an Universitäten

    B   Die neue Wirtschaftslage vom November 2012

    C   Die starke Konjunktur

    D   Die herausragenden Leistungen von Politikern

8. **Was sagen die Zahlen der Nürnberger Bundesagentur für Arbeit vom November 2012 über die Arbeitsmarktsituation in Deutschland (Quellenmaterial 2)?**

    A   Es gibt weniger Arbeitsplätze und mehr Arbeitslose.

    B   230.000 Arbeitssuchende haben einen Arbeitsplatz gefunden.

    C   Es gibt zu viele Facharbeiter.

    D   Die Schulen bilden die Schüler nicht fachgerecht aus.

9. **Deutschland wird als „Wachstumslokomotive" bezeichnet (Quellenmaterial 2). Was bedeutet „Wachstumslokomotive"?**

    A   Das ist ein neuer, größerer und schnellerer ICE-Zug, der in Deutschland hergestellt wird.

    B   Das ist eine Metapher für die wirtschaftliche Stärke Deutschlands.

    C   Das ist eine Bezeichnung für Umweltverschmutzung durch deutsche Lokomotiven.

    D   Das ist ein Begriff für das ständige Steigen der deutschen Arbeitslosigkeit.

10. **Was haben der Artikel und der Hörtext gemeinsam?**

    A   Beide behandeln den problematischen Fachkräftemangel.

    B   Beide kritisieren die Politiker in Deutschland, die nichts gegen die Arbeitslosigkeit tun.

    C   Beide zeichnen ein pessimistisches Bild des deutschen Arbeitsmarkts.

    D   Beide beschreiben aktuelle Entwicklungen auf dem deutschen Arbeitsmarkt.

2-2 Science and Technology – Social Impacts

Quellenmaterial 1

Übersicht

In diesem Text geht es um die unterirdische Verlegung von Rohren für Trinkwasser mit Hilfe eines so genannten Maulwurfs, d. h. einer Bohrmaschine, die wie ein Maulwurf in der Erde Tunnel gräbt.

Für die nächsten 100 Jahre:
neue Zuleitung aus dem Mangfalltal

Die Sicherung der Trinkwasserqualität hat bei den Stadtwerken München (SWM) höchste Priorität. Ein zentrales Projekt war die Erneuerung der über 125 Jahre alten Zuleitungen aus dem Mangfalltal.

Mit dem erfolgreichen Abschluss des Großprojekts sichern die SWM nicht nur die Versorgung, sondern auch die hohe Qualität des Trinkwassers für die nächsten Generationen. Auf einer Gesamt-
5 strecke von rund 30 Kilometern Länge wurden seit 1993 neue, moderne Trinkwasserleitungen verlegt. Im Juni 2008 ging das Gesamtsystem in Betrieb.

Um so wenig wie irgend möglich in Natur und Landschaft eingreifen zu müssen, wurden die neuen Stollen in bergmännischer Bauweise unterirdisch vorangetrieben. Beim Stollenbau kam eine gewaltige Tunnelbohrmaschine, der so genannte Maulwurf, zum Einsatz. Mit seinem Schneidrad
10 wühlte sich das Wunderwerk der Technik Stück für Stück durch den Untergrund, erzeugte dabei einen Hohlraum von über drei Metern Durchmesser und zog vorgefertigte Stahlbetonringe (Tübbings) ein. Den Materialtransport im Stollen übernahmen spezielle Transportzüge.

In die Stahlbetonstollen wurden von den Rohrbauern im Anschluss die eigentlichen Trinkwasserleitungen verlegt. Diese Stahlrohre (1,80 bis 2,20 Meter Durchmesser) wurden schon an der Ober-
15 fläche zu Strängen (bis 60 Meter lang) verschweißt und dann unterirdisch auf einem Rollensystem zum Einbauort verschoben.

Wie eine große Kette baute sich so die gesamte Leitung auf. Zur Stabilisierung des „Rohr-in-Rohr-Systems" wurden die Zwischenräume mit Spezialbeton ausgefüllt.

Nur an wenigen Punkten ist die neue Stollenleitung über oberirdische Zugangsbauwerke, so
20 genannte Einstiegsschächte, für betriebliche Kontroll- und Reparaturzwecke zugänglich. Doch all die Umbaumühen lohnten sich: Durch die bereits vorhandenen und die neuen Trinkwasser-
leitungen können über 4.200 Liter Trinkwasser pro Sekunde nach München transportiert werden. Und das ist nicht nur für eine perfekte Wasserversorgung nützlich! Am Ende der 30 Kilometer langen Münchner Trinkwasser-Ader, im Sammelbehälter Deisenhofen, wird mittels einer
25 „Entspannungsturbine" die Restenergie des Wasserstroms in elektrische Energie umgewandelt. So lassen sich vorhandene Ressourcen sinnvoll nutzen.

Quellenmaterial 2

Übersicht

In diesem Hörtext spricht die Besitzerin einer Wohnung über persönliche Erfahrungen mit einem Wasserrohrbruch und den Folgen.

1. **Welche Aussage ist richtig (Quellenmaterial 1)?**
    A   Das Großprojekt dauerte 125 Jahre.
    B   Zentral für die Sicherung der Trinkwasserqualität war, dass die Wasserleitungen erneuert werden.
    C   Die Wasserleitungen liegen über der Erde.
    D   Die Stadtwerke München können mit den neuen Leitungen mehr Geld für den Verkauf des Wassers bekommen.

2. **Beim Stollenbau für die Wasserleitungen … (Quellenmaterial 1)**
    A   haben Maulwürfe aus dem Münchner Zoo geholfen.
    B   wurde ein Wunderwerk der Technik entdeckt.
    C   wurde eine besondere Bohrmaschine benutzt.
    D   wurde eine Entspannungsturbine benutzt.

3. **Die Wasserleitungen … (Quellenmaterial 1)**
    A   sind aus einem flexiblen Material, so dass sie gebogen werden können, um sie unter die Erde zu bringen.
    B   sind insgesamt ungefähr 20 Kilometer lang.
    C   sind aus Stahl und wurden schon über der Erde zu langen Stücken verbunden.
    D   werden an einer langen Kette unter die Erde gezogen.

4. **Welche Aussage ist richtig (Quellenmaterial 1)?**
    A   Extraräume zwischen der Wasserleitung und der umgebenden Erde wurden mit einem besonderen Gas gefüllt, damit die Temperatur des Wassers immer gleich ist.
    B   Wenn es Probleme mit der Wasserleitung gibt, muss man die ganze Wasserleitung ausgraben, um herauszufinden, wo das Problem ist.
    C   Das Wasser wird nicht nur als Trinkwasser benutzt, sondern hat noch einen weiteren Zweck.
    D   Das Großprojekt hat die Erwartungen der Stadtwerke München nicht erfüllt.

5. **Die Wasserleitungen können _____ mehr als _____ Liter Wasser nach München transportieren (Quellenmaterial 1).**
    A   pro Minute   –   4.200
    B   pro Sekunde   –   2.400
    C   pro Stunde   –   2.400
    D   pro Sekunde   –   4.200

6. **„Die Arbeit war ein einziger Pfusch." (Quellenmaterial 2) bedeutet:**
    A   Die Arbeit wurde schnell gemacht.
    B   Die Arbeit wurde schlampig gemacht.
    C   Der Anschluss der Wasserleitung kostete zu viel.
    D   Die Arbeit war ein Luxus, für den nur wenige Vermieter bezahlen.

7. **Claudia hat erfahren, dass es einen Rohrbruch gab, als ... (Quellenmaterial 2)**
    A   sich Wasser in der Küche sammelte.
    B   Johannes sie darüber informiert hat.
    C   sie das Geräusch von laufendem Wasser hörte.
    D   die Polizei angerufen hat.

8. **Johannes sagt, dass Claudia trotz allem noch froh sein kann, weil ... (Quellenmaterial 2)**
    A   die Handwerker zugegeben haben, dass sie schlechte Arbeit geleistet haben.
    B   sie in einem Hotel Urlaub machen konnte.
    C   die Installationsfirma alle Kosten für die Renovierung bereitwillig übernommen hat.
    D   sie wieder in die Wohnung einziehen konnte.

9. **Claudia ist optimistisch, dass sie das Geld für alles, was sie bezahlen musste, erstattet bekommt, weil ... (Quellenmaterial 2)**
    A   sie einen guten Anwalt kennt.
    B   die Versicherung für ihre Ausgaben bezahlen wird.
    C   mehrere Hausbewohner mit ähnlichen Problemen zusammen eine Klage gegen den Bauherrn einreichen wollen.
    D   der Bauherr ein Verwandter von Claudia ist.

10. **Johannes rief Claudia an, weil er ... (Quellenmaterial 2)**
    A   Probleme in seiner Wohnung hatte.
    B   schon länger nichts von ihr gehört hatte.
    C   wollte, dass Claudia ihm einen Anwalt empfiehlt.
    D   eine Verabredung mit Claudia vergessen hatte.

          Prüfungstraining | AP® German Language and Culture | © 2013 Cornelsen Schulverlage GmbH, Berlin. Alle Rechte vorbehalten.

2-3 Families and Communities – Urban, Suburban and Rural Life

Quellenmaterial 1

Übersicht

Diese Statistik zeigt den Wert von Immobilien je nach Lage und Alter der Häuser. Die Grafik wurde im September 2009 veröffentlicht.

Wohnimmobilien: Lage bestimmt Wert

Durchschnittlicher Kaufpreis für ein Haus mit 170 Quadratmetern Wohnfläche und 350 Quadratmetern Grundstück nach Baujahr, Region und Lage

	Region	Metropole, z.B. Köln	Großstadt, z.B. Düsseldorf	Umland, z.B. Grevenbroich	Ländlich, z.B. Brauweiler
Baujahr ab 2000	Ost	281.269	227.309	214.715	177.916
	Nord	324.184	261.991	247.475	205.062
	West	356.849	288.389	272.411	238.964
	Süd	419.604	339.106	320.317	265.419
Baujahr zwischen 1980 und 1999	Ost	246.981	199.599	188.540	156.227
	Nord	284.665	230.053	217.307	180.064
	West	313.347	253.233	239.203	198.207
	Süd	368.452	297.767	281.269	233.064
Baujahr zwischen 1950 und 1979	Ost	215.360	174.045	164.401	136.225
	Nord	248.219	200.600	189.485	157.010
	West	273.229	220.812	208.578	172.831
	Süd	321.279	259.644	245.258	203.225
Baujahr zwischen 1919 und 1949	Ost	197.613	159.702	150.854	125.000
	Nord	227.764	184.069	173.871	144.072
	West	250.714	202.616	191.390	158.588
	Süd	294.804	238.248	225.047	186.478
Baujahr vor 1919	Ost	179.524	145.054	137.045	113.558
	Nord	206.916	167.220	157.955	130.884
	West	227.764	184.069	173.871	144.072
	Süd	267.819	216.440	204.448	169.408

© 2009 IW Medien · iwd 39

Quelle: IW-Berechnung

Institut der deutschen Wirtschaft Köln

Quellenmaterial 2

Übersicht

 In diesem Hörtext erzählt ein Hausbesitzer über seine Erfahrungen beim Hausverkauf. Haus und Grundstück liegen in einem kleinen Ort namens Obergrenzebach. Obergrenzebach liegt in einem westlichen Bundesland.

1. **Wie groß sind die Wohnflächen der Häuser und die Grundstücke, für die in der Statistik die Durchschnittspreise aufgeführt werden (Quellenmaterial 1)?**
    A   170 qm Wohnfläche und 350 qm Grundstück
    B   170 m Wohnfläche und 350 m Grundstück
    C   170 km Wohnfläche und 350 km Grundstück
    D   170 cm Wohnfläche und 350 cm Grundstück

2. **In welcher Region sind die Häuser durchschnittlich am teuersten (Quellenmaterial 1)?**
    A   Im Norden
    B   Im Osten
    C   Im Süden
    D   Im Westen

3. **In welcher Region sind die Häuser durchschnittlich am billigsten (Quellenmaterial 1)?**
    A   Im Norden
    B   Im Osten
    C   Im Süden
    D   Im Westen

4. **In welchem Bundesland befindet sich das Grundstück des Verkäufers (Quellenmaterial 2)?**
    A   In Brandenburg
    B   In Rheinland-Pfalz
    C   In Hessen
    D   In Baden-Württemberg

5. **Welche Schwierigkeiten auf dem Immobilienmarkt erwähnt er (Quellenmaterial 2)?**
    A   Es gibt zu viele Käufer.
    B   Die Preise sind zu hoch für die Käufer.
    C   Häuser auf dem Land sind schwerer zu verkaufen.
    D   Das Haus ist altmodisch und in schlechtem Zustand.

6. **Was hat er für den Hausverkauf nicht in Anspruch genommen (Quellenmaterial 2)?**
    A   Einen Makler
    B   Internet- und Zeitungsanzeigen
    C   Freunde und Bekannte
    D   Werbung im Radio

7. **Was für eine Art Haus möchte der Hausbesitzer verkaufen (Quellenmaterial 2)?**
   A Hochhaus
   B Reihenhaus
   C Doppelhaus
   D Einfamilienhaus

8. **Welchen Maximalpreis kann ein Hausbesitzer wie Herr Sauer für ein 40 Jahre altes Haus auf dem Land im Westen Deutschlands verlangen (Quellenmaterial 1 und 2)?**
   A 172.831 Euro
   B 198.207 Euro
   C 208.578 Euro
   D 158.588 Euro

9. **Worin stimmen die Statistik und der Hörtext überein?**
   A Die Lage bestimmt den Preis.
   B Ländliche Häuser sind auf Grund des Preises und der Lage sehr attraktiv.
   C Der Immobilienmarkt in Deutschland ist sehr stabil und viele Menschen versuchen Häuser zu kaufen.
   D Einfamilienhäuser sind am beliebtesten.

10. **Wie unterscheiden sich die beiden Quellen?**
    A Die Statistik informiert über Lage, Preis und Alter der Häuser; der Hörtext beschreibt die Schwierigkeiten des Hausverkaufs in der Großstadt.
    B Die Statistik zeigt den Zusammenhang zwischen Lage und Preis; der Hörtext informiert darüber, dass die Lage keine Rolle beim Häuserkauf spielt.
    C Die Statistik informiert über den Einfluss von Alter und Lage auf den Preis der Häuser; der Hörtext beschreibt die Herausforderungen des Hausverkaufs auf dem Land.
    D Der Hörtext gibt konkrete Empfehlungen zum Hausverkauf; die Statistik rät vom Hausverkauf ab.

2-4 Beauty and Aesthetics – Language and Literature

Quellenmaterial 1

Übersicht

Die Statistik informiert darüber, welche Fremdsprachen von Schülerinnen und Schülern im Schuljahr 2010/11 erlernt wurden. Sie gibt auch Auskunft darüber, welche Fremdsprache in dem jeweiligen Bundesland am stärksten vertreten war. Die Statistik wurde 2012 vom Statistischen Bundesamt in der Broschüre „Schulen auf einen Blick" veröffentlicht.

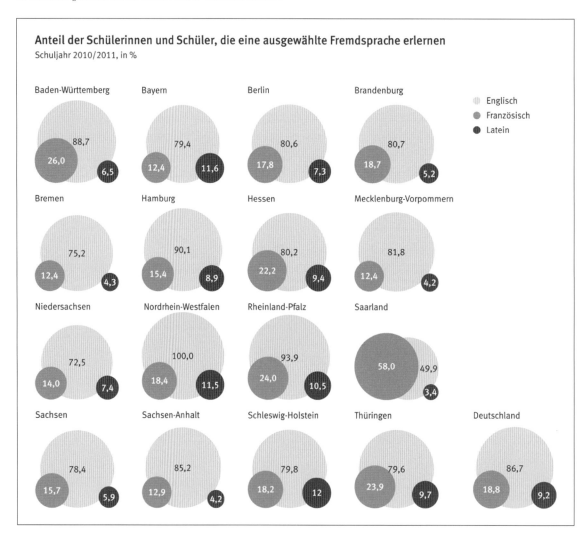

Anteil der Schülerinnen und Schüler, die eine ausgewählte Fremdsprache erlernen
Schuljahr 2010/2011, in %

Legend:
- Englisch
- Französisch
- Latein

Baden-Württemberg: 88,7 / 26,0 / 6,5
Bayern: 79,4 / 12,4 / 11,6
Berlin: 80,6 / 17,8 / 7,3
Brandenburg: 80,7 / 18,7 / 5,2
Bremen: 75,2 / 12,4 / 4,3
Hamburg: 90,1 / 15,4 / 8,9
Hessen: 80,2 / 22,2 / 9,4
Mecklenburg-Vorpommern: 81,8 / 12,4 / 4,2
Niedersachsen: 72,5 / 14,0 / 7,4
Nordrhein-Westfalen: 100,0 / 18,4 / 11,5
Rheinland-Pfalz: 93,9 / 24,0 / 10,5
Saarland: 58,0 / 49,9 / 3,4
Sachsen: 78,4 / 15,7 / 5,9
Sachsen-Anhalt: 85,2 / 12,9 / 4,2
Schleswig-Holstein: 79,8 / 18,2 / 12
Thüringen: 79,6 / 23,9 / 9,7
Deutschland: 86,7 / 18,8 / 9,2

Quellenmaterial 2

Übersicht

1 | 5 | In diesem Interview wird Prof. Gernot W., Leiter eines Lehrstuhls für Fremdsprachen, von einer Pädagogikstudentin über das Lernen von Fremdsprachen befragt. Es geht vor allem darum, ab welchem Alter eine Fremdsprache unterrichtet werden sollte.

1. **Welche Fremdsprachen werden im Quellenmaterial 1 aufgeführt?**
   A   Spanisch, Englisch, Latein
   B   Englisch, Latein, Französisch
   C   Englisch, Französisch, Spanisch
   D   Französisch, Spanisch, Latein

2. **Welche Fremdsprache ist in Deutschland dominant (Quellenmaterial 1)?**
   A   Englisch
   B   Französisch
   C   Spanisch
   D   Latein

3. **In welchem Bundesland ist Englisch nicht die am meisten erlernte Sprache (Quellenmaterial 1)?**
   A   Baden-Württemberg
   B   Saarland
   C   Nordrhein-Westfalen
   D   Berlin

4. **In welchem Bundesland erreicht Latein die höchste Prozentzahl (Quellenmaterial 1)?**
   A   Bayern
   B   Nordrhein-Westfalen
   C   Schleswig-Holstein
   D   Rheinland-Pfalz

5. **In welchem Alter beginnen in fast allen europäischen Staaten Schüler die erste Fremdsprache zu lernen (Quellenmaterial 2)?**
   A   Mit 6 oder 7 Jahren
   B   Mit 8 oder 9 Jahren
   C   Mit 10 oder 11 Jahren
   D   Mit 12 oder 13 Jahren

6. **Wann sollte laut Prof. Gernot W. mit dem Fremdsprachenunterricht begonnen werden (Quellenmaterial 2)?**
   A   In der 1. Klasse
   B   In der Grundschule
   C   Im Kindergarten
   D   In der 7. Klasse

7. **Welche beiden Sprachen werden in den zweisprachigen Kindergärten Deutschlands am häufigsten angeboten (Quellenmaterial 2)?**

    A Englisch und Französisch

    B Englisch und Spanisch

    C Französisch und Spanisch

    D Spanisch und Latein

8. **Welche Fremdsprache sollte laut Prof. Gernot W. bereits im Kindergarten unterrichtet werden (Quellenmaterial 2)?**

    A Die Sprache eines Nachbarlandes

    B Englisch

    C Egal welche, aber mehr als zwei Sprachen

    D Deutsch

9. **Wie kann eine Fremdsprache laut Quellenmaterial 2 besser gelernt werden?**

    A Durch den Kontakt zur lebendigen Sprache und Filme im Original mit Untertiteln

    B Nur durch das Aufwachsen mit zweisprachigen Eltern

    C Durch bessere theoretische Ausbildung der Lehrkräfte

    D Durch Konzentration auf Grammatikunterricht

10. **Welches Bundesland fällt in beiden Quellen positiv auf und ist führend in Sachen Fremdsprachenunterricht?**

    A Saarland

    B Sachsen

    C Nordrhein-Westfalen

    D Sachsen-Anhalt

Prüfungstraining | AP® German Language and Culture | © 2013 Cornelsen Schulverlage GmbH, Berlin. Alle Rechte vorbehalten.

2-5 Personal and Public Identities – National Identity

Quellenmaterial 1

Übersicht

Diese Statistik zeigt, wie viele Menschen aus der DDR flohen, bis 1961 die Mauer gebaut und so die innerdeutsche Grenze geschlossen wurde, um die Massenflucht zu beenden. Die Grafik wurde von der Bundesregierung im Oktober 2009 veröffentlicht.

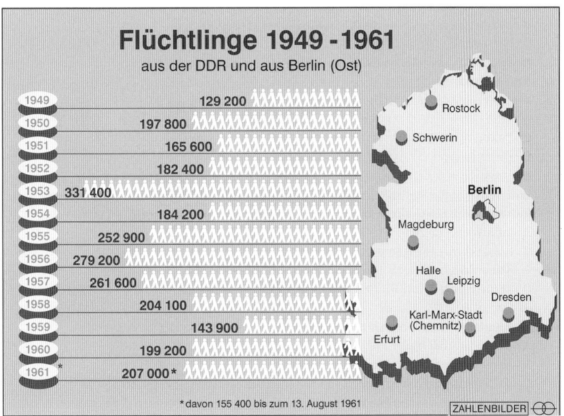

Quellenmaterial 2

Übersicht

In diesem Bericht erzählt der aus Ost-Berlin stammende Herbert Kuriat von seinen Erlebnissen am 9. November 1989.

1. **Worum geht es in dieser Statistik (Quellenmaterial 1)?**
   A   Um die Einwohnerzahlen verschiedener Großstädte in der DDR von 1949 bis 1961
   B   Um die Geburtenrate in der DDR von 1949 bis 1961
   C   Um die Zahl der Menschen, die die DDR in den Jahren vor dem Mauerbau verließen
   D   Um die Zuwanderung in die DDR zwischen 1949 und 1961

2. **In welchem Jahr verließen die meisten Menschen die DDR und Ost-Berlin (Quellenmaterial 1)?**
   A   1949
   B   1953
   C   1958
   D   gleichbleibend

3. **Inwiefern gibt die Statistik darüber Auskunft, warum die DDR-Regierung die Mauer bauen ließ und damit die Grenzen in den Westen schloss (Quellenmaterial 1)?**
   A   Zurückgehende Zahlen der Flüchtlinge
   B   Hohe Zahl der Flüchtlinge in den Westen
   C   Klärung des Grenzverlaufs zum Westen
   D   Allein im ersten Halbjahr 1961 verließen 129 200 Menschen Ost-Berlin.

4. **Herr Kuriat (Quellenmaterial 2) berichtet über ...**
   A   die Öffnung der Mauer 1989.
   B   eine Jubiläumsfeier am Brandenburger Tor.
   C   die Schließung der Grenzübergänge zwischen Ost- und Westdeutschland.
   D   den Beschluss des SED-Politbüros, die freie Ausreise und Besuchsreisen in den Westen zu verbieten.

5. **Herbert Kuriat spricht von einem „Wunder des 9. November". Was war seiner Ansicht nach dieses Wunder (Quellenmaterial 2)?**
   A   Dass es friedliche Demonstrationen gegen die Maueröffnung gab.
   B   Dass die Bürger der DDR den Meldungen in Rundfunk und Fernsehen nicht glaubten.
   C   Dass Tausende von Menschen aus dem Westen die Straßen blockierten.
   D   Dass es kein Blutvergießen zwischen Grenzsoldaten und DDR-Bürgern gab.

6. **Wie lange trennte die Mauer den Osten und den Westen (Quellenmaterial 2)?**
   A   62 Jahre
   B   28 Jahre
   C   32 Jahre
   D   15 Jahre

7. **Die Ankündigung der Reisefreiheit für DDR-Bürger führte zu … (Quellenmaterial 2)**

   A   der Massenflucht.

   B   Freudenfeiern.

   C   Blutvergießen.

   D   Krawallen.

8. **Wer oder was veranlasste die Regierung der DDR im Jahr 1989 dazu, die Ausreiseregelungen zu ändern (Quellenmaterial 2)?**

   A   Erhöhter Druck der westdeutschen Regierung

   B   Friedliche Demonstrationen und Massenflucht, z. B. über Ungarn

   C   Die Flucht von 207 000 Menschen im Jahre 1961 aus der DDR

   D   Die Nachrichtenagentur ADN

9. **Was haben der Hörtext und die Statistik gemeinsam?**

   A   Beide zeigen die Auswirkungen der Massenflucht, die erst zum Mauerbau und später zur Maueröffnung führte.

   B   Beide zeigen den politischen Einfluss Westdeutschlands.

   C   Beide sprechen von der so genannten „Abstimmung mit den Füßen".

   D   Beide erklären die politische Situation vor und nach dem Mauerbau.

10. **Wie unterscheiden sich die beiden Quellen?**

    A   Der Hörtext beschreibt die Maueröffnung sehr positiv, aber die Statistik zeigt negative Auswirkungen.

    B   Der Hörtext beschreibt die Ereignisse am Abend des 9. November 1989, aber die Statistik zeigt die Massenflucht vor dem Mauerbau.

    C   Die Statistik gibt den Menschen konkrete Empfehlungen, wie man am besten flieht, aber der Text warnt vor Flucht.

    D   Der Hörtext ist aus der Sicht eines DDR-Flüchtlings, aber die Statistik ist von der Bundesregierung.

2-6 Contemporary Life – Health and Well-Being

Quellenmaterial 1

Übersicht
In dem Artikelausschnitt aus der Zeitschrift „Gesund leben – gestern, heute, morgen" vom Dezember 2012 geht es um verschiedene Aspekte zum Thema „Schlaf".

Schlafen – ein Kinderspiel? Nicht für jeden

Morgens entspannt und ausgeruht in den Tag starten, am besten noch vor dem Wecker-klingeln aufwachen, sich kurz strecken und dann voller Elan das Tagesgeschäft beginnen – Wer wünscht sich das nicht? Für rund ein Drittel aller Deutschen ist das allerdings nur eine schöne Fantasie: Sie leiden an Schlafstörungen.

5 Ganz genau hat die Wissenschaft noch nicht herausgefunden, worin die Funktion des Schlafes besteht. Unbestritten ist, dass er für Menschen und fast alle Tiere lebensnotwendig ist. Guter Nacht-schlaf stärkt das Immunsystem, macht uns ausgeglichener und ist wichtig für die Organ- und Stoff-wechselfunktionen. Unser Gehirn braucht den Schlaf, um Eindrücke des Tages zu ordnen und zu verarbeiten. Mittlerweile weisen auch immer mehr Studien darauf hin, dass das Abnehmen leichter

10 gelingt, wenn man ausreichend und gut schläft. Und dass Schlafen jung und schön hält, ist allge-mein bekannt – nicht umsonst sprechen wir von unserem „Schönheitsschlaf".

Die Bedeutung des Schlafes ist also kaum zu unterschätzen. Deshalb leiden Menschen, die aus den verschiedensten Gründen ganz unterschiedliche Probleme mit dem Schlafen haben, auch meist sehr stark darunter. Oft ist es nicht ganz einfach, die konkreten Ursachen für die Schlafstörung zu

15 erkennen. Mögliche Ursachen sind beispielsweise der Konsum von Kaffee, Alkohol und Tabak, Medikamente, eine ungesunde (z. B. zu helle oder laute) Schlafumgebung, Probleme mit dem Schlaf-Wach-Rhythmus durch Schichtarbeit, Herz- und Kreislaufstörungen sowie Sodbrennen und Magen-Darm-Krankheiten.

Egal, was die Ursache ist und wie die Störung sich genau ausdrückt, einen Wunsch teilen alle

20 Menschen mit Schlafstörungen: Sie möchten einfach mal wieder gut schlafen, das heißt weder zu lang noch zu kurz, schnell einschlafen, dann möglichst ohne Unterbrechungen durchschlafen, um morgens entspannt aufzuwachen und den Tag konzentriert und aktiv zu gestalten. Obwohl dieser Wunsch häufig sehr stark ist und bei massiven Schlafstörungen sogar lebensbestimmend werden kann, finden zu wenige Betroffene den Weg zum Arzt. Stattdessen versuchen sie häufig, ihre Schlaf-

25 probleme mit Medikamenten selbst zu behandeln, ohne einen genaueren Blick auf die Ursachen geworfen zu haben. Diese sind aber äußerst wichtig, wenn es darum geht, eine wirksame Therapie zu finden.

---

30 | Deshalb raten Mediziner dazu, Schlafprobleme nicht zu unterschätzen, sondern aufmerksam zu beobachten. Wer über einen längeren Zeitraum keinen befriedigenden Schlaf findet, sollte, vor allem wenn sich keine äußeren Ursachen wie Stress finden lassen, einen Arzt befragen. Auch bei Menschen, die häufig unter extremer Tagesmüdigkeit leiden, liegen eventuell Schlafstörungen vor, selbst wenn die Betroffenen mit ihrem Schlaf eigentlich zufrieden sind. Auch in solchen Fällen ist es ratsam, einen Arzt zu konsultieren.

Quellenmaterial 2

Übersicht

Frau Lorenz leidet schon seit vielen Jahren an Schlafstörungen. In diesem Interview spricht sie über ihre Erfahrungen mit Insomnie.

1. **Worum geht es in dem Artikel aus der „Gesund leben" (Quellenmaterial 1)?**
   A Um die Auswirkungen von Alkoholkonsum auf den Schlaf
   B Um Schlafprobleme und ihre Gründe
   C Um Leute, die gerne schlafen
   D Um Schlafmittel

2. **Welche Ursache von Schlaflosigkeit wird nicht aufgeführt (Quellenmaterial 1)?**
   A Sodbrennen
   B Schlafumgebung
   C Depressionen
   D Medikamente

3. **Wie viele Deutsche leiden unter Schlafstörungen (Quellenmaterial 1)?**
   A Ungefähr ein Viertel
   B Ungefähr ein Drittel
   C Fast die Hälfte
   D Jeder Zweite

4. **Wie wird guter, gesunder Schlaf definiert (Quellenmaterial 1)?**
   A Langsam einschlafen, langsam aufwachen
   B Gleich einschlafen und die Nacht durchschlafen
   C Konzentriert und aktiv schlafen
   D Früh aufwachen

5. **Warum ist es wichtig, genug zu schlafen (Quellenmaterial 1)?**
    A   Damit man hungrig wird.
    B   Weil man dann automatisch abnimmt.
    C   Weil man dann besser träumt.
    D   Weil guter Schlaf das Immunsystem unterstützt.

6. **Was sagt Frau Lorenz über das „Kopfkino" (Quellenmaterial 2)?**
    A   Es ist ein Kino nur für sie.
    B   Im Kopfkino sieht man Filme.
    C   Sie sieht alles, was am Tag los war, noch einmal in ihrem Kopf.
    D   Um das Kopfkino zu vermeiden, sollte man früh ins Bett gehen.

7. **Was sollte man laut Frau Lorenz abends vor dem Schlafengehen nicht tun (Quellenmaterial 2)?**
    A   Meditieren
    B   Nichts essen und hungrig ins Bett gehen
    C   Sport treiben
    D   Wasser trinken

8. **Was ist das Hauptproblem mit Schlaftabletten (Quellenmaterial 2)?**
    A   Sie schmecken nicht gut.
    B   Die Tabletten sind zu groß und schwer zu schlucken.
    C   Man darf sie nur mit Wasser einnehmen.
    D   Man schläft erst sehr gut ein, aber nach einer Woche wirken sie schon nicht mehr richtig.

9. **Was ist der Unterschied zwischen dem Artikel aus der „Gesund leben" und dem Hörtext?**
    A   Der Artikel beschreibt die Ursachen der Schlaflosigkeit, der Hörtext beschreibt die Auswirkungen der Schlafstörungen auf das Immunsystem.
    B   Der Artikel beschreibt die Ursachen der Schlaflosigkeit, der Hörtext beschreibt die Erfahrungen einer Person, die unter Schlaflosigkeit leidet.
    C   In dem Artikel wird erklärt, wie alle Deutschen schlafen, der Hörtext gibt das Beispiel von einer Deutschen.
    D   Der Hörtext erklärt, wie Frau Lorenz erfolgreich ihre Schlaflosigkeit bekämpft, der Artikel stellt dar, dass fast jeder ab und zu mal eine unruhige Nacht hat.

10. **Was haben der Hörtext und der Artikel gemeinsam?**
    A   In beiden wird über Individuen berichtet.
    B   In beiden wird über die Vorteile der Schlaflosigkeit berichtet.
    C   In beiden wird über die Folgen von Schlaflosigkeit für das Immunsystem berichtet.
    D   Beide berichten über das Thema Schlafstörungen.

Introduction

This is the last multiple-choice section. In Section 1 you were asked to read and in Section 2 you were asked to read and listen. In this section you will only be asked to listen. You will be presented with audio clips of varying lengths (2–4 minutes). The audio selections may include interviews, conversations, or presentations. You should take ample time to look at the questions before you begin listening. You will hear each audio twice. During the exam, you will see the following instructions:

→ You will listen to several audio selections. For each audio selection, you will first have a designated amount of time to read a preview of the selection as well as to skim the questions that you will be asked. Each selection will be played twice. As you listen to each selection, you may take notes. Your notes will not be scored. After listening to each selection the first time, you will have 1 minute to begin answering the questions; after listening to each selection the second time, you will have 15 seconds per question to finish answering the questions. For each question, choose the response that is best according to the audio and/or reading selection and mark your answer on your answer sheet.

→ *Sie werden einige Audioauszüge hören. Vor dem Hören jeder Auswahl bekommen Sie etwas Zeit, um sich die Übersicht der Auswahl anzuschauen und die Fragen zu überfliegen. Sie hören jeden Auszug zweimal. Während Sie zuhören, können Sie sich Notizen machen. Ihre Notizen werden nicht benotet. Nach dem ersten Anhören jeder Auswahl haben Sie 1 Minute Zeit, um mit dem Beantworten der Fragen zu beginnen; nach dem zweiten Anhören jeder Auswahl haben Sie pro Frage 15 Sekunden Zeit, um die Fragen fertig zu beantworten. Wählen Sie für jede Frage die Antwort, die am besten mit der vorgegebenen Auswahl übereinstimmt! Markieren Sie Ihre Antwort auf dem Antwortbogen!*

Strategies for Listening

Please use the listening strategies from Chapter 2 (p. 31–32).

3-1 Beauty and Aesthetics – Fashion and Design

Übersicht

Frau Dr. Josephine Barbe, Berliner Künstlerin und Wissenschaftlerin, spricht über ihre Bücher.

1. **Wie hat Frau Dr. Barbe das Praktische in ihr letztes Buch über Korsetts integriert?**
   A   Sie hat Studien gemacht, um die Geschichte des Korsetts zu verfolgen.
   B   Sie hat sich Korsetts sehr genau angesehen und auch selbst angezogen.
   C   Sie hat sich gewundert, wie man früher in so ein Korsett reinpasste.
   D   Sie hat selbst Korsetts gebaut und diese Korsetts anderen angezogen, um zu sehen, wie der Körper dadurch verändert wird.

2. **Frau Dr. Barbe spricht über die Wechselwirkung zwischen Angebot und Nachfrage. Damit meint sie, …**
   A   dass Frauen eine schmale Taille wollten.
   B   dass die Industrie Korsetts herstellt, um die Frauen zu verformen.
   C   dass die industriellen Erfindungen sich nach den Wünschen der Mode richten und umgekehrt.
   D   dass die Einschnürungen oft übertrieben waren.

3. **Warum hat die Autorin die Entwicklung einer bestimmten Firma in ihrem Buch verfolgt?**
   A   Weil ihr deren Unterwäsche so gut gefallen hat.
   B   Weil die Firma eine der ersten war, die Korsetts in Fabriken hergestellt haben.
   C   Weil die Firma 200 Jahre alt wurde.
   D   Weil sie den leitenden Geschäftsführer kannte.

4. **Worum geht es in Frau Barbes viertem Buch nicht?**
   A   Um Schuhmode
   B   Um die Geschichte der Schuhherstellung
   C   Um das Verkaufen von Schuhen
   D   Um die Herstellung von Schuhen

5. **Im Gespräch wird über eine bekannte Firma gesprochen, die Unterwäsche herstellt. Welche Aussage ist richtig?**
   A   Die Firma wurde vor 125 Jahren in der Schweiz gegründet.
   B   Die Firma hatte immer denselben Namen.
   C   Frau Barbe hat lange für diese Firma gearbeitet.
   D   Die Firma hat heute ihre Zentrale in der Schweiz.

3-2 Science and Technology – Healthcare and Medicine

Übersicht

In diesem Hörtext geht es um Kinder, die aus verschiedenen Ländern in Krisengebieten der Welt zum Friedensdorf International kommen.

1. **Was ist das Thema dieser Aufnahme?**
   A Die Temperaturen in Deutschland
   B Die Lebensverhältnisse von Kindern im gesamten Bundesgebiet
   C Die Integration von ausländischen Kindern in Deutschland
   D Die medizinische Versorgung von Kindern, die aus Krisengebieten nach Deutschland kommen

2. **Wer entscheidet, welche Kinder zur ärztlichen Behandlung nach Deutschland kommen dürfen?**
   A Die Soldaten in Krisengebieten
   B Deutsche Ärzte
   C Politiker, die die finanzielle Übersicht über das Projekt haben
   D Ärzte aus den Heimatländern der zu behandelnden Kinder

3. **Welche Voraussetzungen müssen gegeben sein, um ein krankes Kind in Deutschland zu behandeln?**
   A Krankenhausbetten müssen zur Verfügung stehen und fachgerechte Behandlung muss möglich sein.
   B Das Heimatland muss die Flüge organisieren.
   C Man muss deutsche Ärzte bezahlen können.
   D Finanzielle Mittel müssen für die Behandlung vorhanden sein.

4. **Wie viel Geld bekommen die deutschen Ärzte für die Behandlung dieser Kinder?**
   A Das Krankenhaus bezahlt den Ärzten eine bestimmte Summe pro Kind.
   B Viele deutsche Ärzte bekommen kein Geld.
   C Sie bekommen viel Geld.
   D Die Ärzte bekommen einen bezahlten Urlaub im Friedensdorf in Oberhausen.

5. **Wie lange sind die Kinder normalerweise im Friedensdorf?**
   A Bis sie wieder ganz gesund sind
   B Weniger als 2 Monate
   C Normalerweise ungefähr 6 Monate
   D Bis der Krieg in ihrem Heimatland zu Ende ist

6. **Das Friedensdorf in Oberhausen finanziert sich durch …**
   A Spenden.
   B den deutschen Staat.
   C das Heimatland.
   D den deutschen Krankenhausverband.

3-3 Contemporary Life – Education and Career

Übersicht

 Sie hören jetzt Gabi Requart, die in Deutschland an einer Realschule arbeitet.

1.   Mit welcher der folgenden Aussagen könnte der Hörtext am besten beschrieben werden?
- A   Gabi Requart berichtet über ihren Beruf als Lehrerin.
- B   Gabi Requart unterrichtet nicht gern.
- C   Gabi Requart berichtet über ihre Arbeit an einem Gymnasium.
- D   Gabi Requart berichtet über das hohe Leistungsniveau ihrer Sportschüler.

2.   Wie viele Stunden pro Woche wird Sport unterrichtet?
- A   2 Stunden pro Woche
- B   4 Stunden pro Woche
- C   10 Stunden pro Woche
- D   15 Stunden pro Woche

3.   Welche Fächer unterrichtet Gabi Requart?
- A   Mathematik und Basketball
- B   Mathematik und Sport
- C   Schwimmen und Tanzen
- D   Handball und Fußball

4.   Worauf ist Gabi Requart sehr stolz?
- A   Darauf, dass sie an einer Realschule unterrichtet.
- B   Darauf, dass sie als Austauschschülerin in Amerika war.
- C   Darauf, dass sie Schüler für Berufe ausbildet.
- D   Darauf, dass der Mathematikunterricht in Deutschland ein sehr hohes Niveau hat.

5.   Wie würden Sie Gabi Requart anreden, wenn Sie mit ihr sprechen würden?
- A   Frau Gabi
- B   Frau Requart
- C   Gabi
- D   Hallo, Sie da

3-4 Families and Communities – Urban, Suburban and Rural Life

Übersicht

Der Student Jonas erzählt von seinen Sommersemesterferien.

1. **Mit welcher der folgenden Aussagen könnte der Hörtext am besten beschrieben werden?**
   A   Jonas berichtet über seinen Sommerjob.
   B   Jonas berichtet über sein Studium.
   C   Jonas verdient nicht genug Geld.
   D   Jonas liebt den heißen Sommer.

2. **Jonas arbeitet jeden Tag von 6:00 bis 16:00 Uhr. Er verdient also pro Tag …**
   A   50 €.
   B   55 €.
   C   60 €.
   D   65 €.

3. **Warum arbeitet er gerne in einer Gärtnerei?**
   A   Weil er sehr gerne Unkraut jätet.
   B   Weil er gerne im Swimmingpool oder Schwimmteich schwimmt.
   C   Weil er immer draußen sein und die Sonne genießen kann.
   D   Weil er sehr viele reiche Leute trifft.

4. **Warum haben Gärten mit einem Schwimmteich oder Swimmingpool immer eine Hecke oder einen Zaun?**
   A   Weil Hunde nicht im Wasser spielen sollen.
   B   Weil das ein Gesetz in Deutschland ist.
   C   Damit die Gärtnerei mehr verdient.
   D   Damit Kinder keine Steine ins Wasser werfen.

5. **Was fragen Sie Jonas, um mehr über sein Studium zu erfahren?**
   A   Herr Jonas, was studieren Sie jetzt eigentlich?
   B   Jonas, ich will vielleicht auch Sport studieren. Kannst du mir noch ein bisschen über dein Studium erzählen?
   C   Ich würde auch gerne in Deutschland Sport und Mathematik studieren.
   D   Toll! Sie wollen Gärtner werden.

3-5 Personal and Public Identities – National Identity

Übersicht

 Sie hören ein Gespräch mit Hannah, einer amerikanischen Studentin, die zur Zeit des Gesprächs in Wien lebte und studierte.

1. Wie beschreibt Hannah die Stadt Wien, die Hauptstadt Österreichs, in diesem Gespräch?

A Sie beschreibt Wien als eine schöne Stadt, in der immer viel los ist.

B Sie beschreibt Wien als eine Stadt, in der es an Sauberkeit mangelt.

C Sie beschreibt Wien als eine Stadt, in der alle Cafés an der Donau liegen.

D Sie beschreibt Wien als eine Stadt, in der das Leben langweilig ist.

2. Was ist ein wichtiger Grund dafür, dass Hannah in Wien studiert?

A Sie will neue Leute kennenlernen.

B Sie will nach Polen reisen.

C Sie will ihr Nebenfach abschließen.

D Sie will eine neue Sprache lernen.

3. Was hat Hannah auf ihrer Reise nach Polen erlebt?

A Sie hat das Fußballspiel Italien – Spanien live gesehen.

B Sie hat viele nette Leute kennengelernt.

C Sie hat italienische Nationalspieler getroffen.

D Sie hat sehr gut Italienisch gegessen.

4. Warum hat sie Wien für ihr Auslandssemester gewählt?

A Weil das Klima in Wien wärmer ist als in Spanien.

B Weil es in Spanien keine Deutschkurse gab.

C Weil eine Programmbeschreibung den Studenten Wien empfohlen hat.

D Weil sie noch nie in Wien war.

5. Worauf freut sich Hannah am meisten, wenn sie wieder nach Hause kommt?

A Darauf, endlich wieder selbst zu kochen

B Auf Freunde, Familie und Essen

C Auf die Kochkünste ihrer Mutter

D Darauf, in ihrem eigenen Bett zu schlafen

6. Wie empfinden Sie Hannahs Aufenthalt in Wien?

A Ich denke, dass Hannah Heimweh hat.

B Ich denke, dass Hannah das Studium nicht bewältigen kann.

C Ich denke, dass Hannah ihr Auslandssemester genießt.

D Ich denke, dass Hannah ihr Auslandsstudium in Spanien schöner fand.

3-6 Global Challenges – Environmental Issues

Übersicht

In diesem Hörtext spricht Nicole aus Deutschland mit amerikanischen Schülerinnen und Schülern über Elektroautos. Sie ist zu Besuch bei ihrer amerikanischen Brieffreundin Tara, die in die Deutsch 4 Klasse von Frau Hornberg an einer High School in Illinois geht.

1. **Der Hauptgrund für Nicole, die Internationale Automobil-Ausstellung (IAA) in Frankfurt zu besuchen, war, dass ...**
   A   ihr Vater Freikarten bekommen hat.
   B   sie Autos schon immer interessant fand.
   C   Mainz in der Nähe von Frankfurt ist.
   D   sie bei der IAA die Führerscheinprüfung ablegen kann.

2. **Nicole hätte am liebsten ein Elektroauto, sagt aber, dass ...**
   A   es Elektroautos in Deutschland noch nicht gibt.
   B   sie nicht genug Geld hat, eins zu kaufen.
   C   ihr Vater Hybrid-Autos besser findet.
   D   es E-Autos in Deutschland noch nicht in Massenproduktion gibt.

3. **Ein Schüler vergleicht Hybrid-Autos mit E-Autos. Er sagt, dass ein Hybrid-Auto den Vorteil hat, dass ...**
   A   sich die Batterie selbst auflädt.
   B   es keine fossilen Energien benutzt.
   C   ein Hybrid-Auto schneller als ein E-Auto fährt.
   D   ein Hybrid-Auto leiser ist.

4. **Welches Problem wird im Hinblick auf Elektroautos im Hörtext nicht erwähnt?**
   A   Die umweltfreundliche Entsorgung von Batterien
   B   Die Erzeugung von Strom mit Hilfe regenerativer Energiequellen
   C   Das geringe Angebot an öffentlichen Ladestationen im Vergleich zu Tankstellen
   D   Das fehlende Interesse an Elektroautos bei vielen Bundesbürgern

5. **Welche dieser Verhaltensweisen trägt nicht zur Reduzierung von Schadstoffen in der Luft bei?**
   A   Die Benutzung von öffentlichen Verkehrsmitteln
   B   Zu Fuß zu gehen, anstatt kürzere Strecken mit dem Auto zu fahren
   C   Eine Fahrgemeinschaft mit anderen Personen zu organisieren
   D   Die Preise von Autos generell zu senken

Introduction

In this part of the exam you will read and respond to an e-mail message. During the actual test, you will have 15 minutes to complete this portion of the exam. Treat an e-mail just like a letter. While the AP® exam will require the formal voice, in the following section you will also have a chance to write informal e-mails to hone your letter writing skills and to note the differences (a formal version of the e-mails is available in the Teacher Information). You will see the following instructions:

> → You will write a reply to an e-mail message. You have 15 minutes to read the message and write your reply. Your reply should include a greeting and a closing and should respond to all the questions and requests in the message. In your reply, you should also ask for more details about something mentioned in the message. Also, you should use a formal form of address.
>
> → *Sie werden eine E-Mail beantworten. Sie haben 15 Minuten Zeit, um die Nachricht zu lesen und Ihre Antwort zu schreiben. Ihre Antwort sollte eine Begrüßungs- und eine Abschiedsformel beinhalten. Gehen Sie auf alle Fragen und Anforderungen in der Nachricht ein! In Ihrer Antwort sollten Sie auch nach weiteren Details fragen, die sich auf etwas in der Nachricht beziehen! Zudem sollten Sie Ihre E-Mail formell gestalten.*

Composing an e-mail message requires you to adhere to letter-writing conventions. A well written e-mail should contain the following elements: a greeting, an opening, the main text, a conclusion and a closing. It is important that you address all the issues and questions that appeared in the original e-mail. The vocabulary you use should demonstrate that you have good command of a variety of words, phrases and idioms. You can impress the readers of the exam by using not only simple, but also complex and compound sentences. Be sure to master word order in subordinating and coordinating clauses. Be consistent in the use of tense. Finally, be sure to use the appropriate register. The response to a formal e-mail must be formal, while an informal e-mail should receive an informal response.

Strategies

Read the instructions and overview (*Übersicht*) carefully.

→ Answer all questions and respond to all issues stated in the e-mail.
→ Make use of the phrases listed below to ensure that you are using culturally appropriate expressions.
→ Stay in the time frame that the e-mail message suggests, for example, if the writer writes about an event in the future, make sure that you write about this event as a future happening, too.
→ Stay in the same register, if you are addressed formally, answer formally, if you are addressed informally, answer informally. Make sure that the idiomatic expressions you are using are relevant and appropriate for the register.
→ Make sure that all of the following text components are part of your reply: salutation, introduction, main body text, conclusion and closing.
→ Use a variety of vocabulary, including idiomatic expressions.

E-mail / Letter Writing Conventions

There are two possibilities for punctuation following the salutation, a comma or an exclamation mark. When using a comma, make sure to begin the next line using a lowercase letter, this is different from English. For example,

> „Liebe Frau Meyer,
> ich möchte Sie …"

or: „Liebe Frau Meyer!
> Ich möchte Sie …"

In addition, the informal pronouns can be either capitalized or not:
- Du/du
- Dich/dich
- Dir/dir
- Dein[-] / dein[-]
- Ihr[-] / ihr[-]
- Euch/euch
- Euer[-] / euer[-]

However, formal pronouns such as
- Sie
- Ihnen
- Ihr[-]

are always capitalized.

As in any letter, an e-mail needs a closing. Here again it is important that the final greeting and signature are consistent with the informal or formal register of the e-mail:

informal: Viele (liebe) Grüße
deine Hannah / dein Victor

formal: Mit freundlichen Grüßen
Ihr Manfred Hoffmann / Ihre Wilma Hoffmann

4 Interpersonal Writing

Sample E-mail/Letter: Writing Expressions

	Formal	
Greeting	– Sehr geehrte / Liebe (Frau) ..., – Sehr geehrter / Lieber (Herr) ..., – Sehr geehrte Damen und Herren,	– Dear Ms. ... – Dear Mr. ... – Dear Sir or Madame / To whom it may concern
Body *Opening*	– vielen Dank für Ihre E-Mail. – entschuldigen Sie, dass ich erst jetzt auf Ihre Mail antworte. – unter Bezugnahme auf Ihre E-Mail vom 5. 3. 2012 ...	– Thank you very much for your e-mail. – Please excuse that I haven't responded to your e-mail until now. – With regard to your e-mail of March 5th, 2012 ...
Body *Main Text*	– Ich interessiere mich für ... – Ich schreibe Ihnen, weil ... – In Bezug auf Ihre Mail möchte ich Ihnen mitteilen, dass ...	– I am interested in ... – I am writing to you because ... – In response to your e-mail, I would like to inform you that ...
Body *Conclusion*	– Ich würde mich freuen, bald etwas von Ihnen zu hören. – Für nähere Informationen stehe ich Ihnen natürlich jederzeit gerne zur Verfügung. – Für eine Antwort wäre ich Ihnen sehr dankbar. – Ich erwarte Ihre Antwort. – Ich bedanke mich im Voraus.	– I look forward to hearing from you soon. – If you would like further information, please do not hesitate to contact me. – I would be grateful for an answer. – I am awaiting your response. – Thank you in advance.
Closing	– Mit freundlichen Grüßen / Mit freundlichem Gruß Ihr/Ihre ...	– Sincerely, / Yours truly, / Respectfully yours, ... (insert name)

Informal

– Hallo,	– Hello/Greetings,
– Hi,	– Hi,
– Liebe …,	– Dear (woman's name),
– Lieber …,	– Dear (man's name),
– ich danke dir für deine Mail.	– Thank you for your e-mail.
– vielen Dank für deine E-Mail.	– Thanks for your e-mail.
– schön von dir zu hören.	– Nice to hear from you.
– Ich interessiere mich für …	– I'm interested in …
– Ich habe gehört, dass …	– I heard that …
– Heute schreibe ich dir, weil …	– I'm writing you today because …
– Über eine Antwort von dir würde ich mich sehr freuen.	– I'd be happy to hear from you.
– Vielen Dank im Voraus.	– Thanks in advance.
– Ich freue mich, von dir zu hören.	– I'm looking forward to hearing from you.
– Schreib bald zurück.	– Write back soon.
– Melde dich!	– Touch base with me.
– Bis bald.	– Hope to hear from you soon. / See you soon.
– Dein / Deine …	– Yours
– Liebe Grüße (LG)	– Greetings
– HDL (Hab' dich lieb)	– Love ya'
– Tschüss/Tschüs	– So long / Bye
– Tschau/Ciao	– Bye / So long / Ciao
– Kuss/Bussi	– Kisses

4-1 Global Challenges – Environmental Issues

Waldemar Strobel, Leiter der Bürgerinitiative „Hände weg von unserer Schwalm!", lädt Sie ein, an einer Veranstaltung teilzunehmen. Sie äußern sich dazu und bitten um weitere Informationen.

Betreff: Information

Von	*waldemarst1@händeweg.de*
An	*Bürgerinitiative-Mitglieder@händeweg.de*
Betreff	*Information*

Liebe MitbürgerInnen!

Vielen Dank für Ihr Interesse an der Bürgerinitiative „Hände weg von unserer Schwalm!". Am kommenden Donnerstag werden sich Mitglieder der Bürgerinitiative von 19:30 bis 21:00 Uhr im Gemeindesaal der Stadtkirche treffen. Wie Sie wissen, haben wir diese Bürgerinitiative ins Leben gerufen, um den geplanten Bau einer Brücke über den Grenzebach zu verhindern. Sie haben vielleicht gehört, dass der Stadtrat in seiner nächsten Sitzung die Firma Brückenbau GmbH & Co KG anhören wird. Der Stadtrat hat allerdings noch keine endgültige Entscheidung getroffen. Deshalb wollen wir Sie zu einer Strategiesitzung einladen.

Unsere Hauptargumente gegen den Brückenbau sind die folgenden:

– Zerstörung der idyllischen Landschaft,

– Umstrukturierung der Infrastruktur, d. h. der Verkehr, der jetzt auf der Umgehungsstraße 254 fährt, würde direkt durch den Ortskern geleitet werden,

– Vernichtung von mindestens einem Hektar des Stadtwaldes im Zuge des Brückenbaus.

– Außerdem würde der historische Bauernmarkt, unsere Hauptattraktion für Touristen, den Bach runtergehen.

Wir würden uns freuen, wenn Sie sich an unserer Initiative beteiligen würden. Wir brauchen jeden Mann, jede Frau und viele gute Ideen. Bitte schreiben Sie bald zurück. Ich würde gerne wissen, ob und wie Sie uns unterstützen können/wollen.

Ich verbleibe mit freundlichen Grüßen

Ihr Waldemar Strobel
Vorsitzender der Bürgerinitiative „Hände weg von unserer Schwalm!"

Prüfungstraining | AP® German Language and Culture | © 2013 Cornelsen Schulverlage GmbH, Berlin. Alle Rechte vorbehalten.

4-2 Science and Technology – Ethical Considerations

Sie sind als Austauschschüler/in in Denver, Colorado, kommen aber ursprünglich aus Brakel in Ostwestfalen-Lippe. Ihre ältere Schwester schreibt Ihnen diese E-Mail. Bitte antworten Sie darauf und erklären Sie ihr, was Sie über genmanipulierte Lebensmittel denken.

Betreff: Lebenszeichen aus Brakel

Von	phibi@unibrakel.de
An	SigP2@denver.com
Betreff	Lebenszeichen aus Brakel

Hi!

Hab' dich schon so lange nicht mehr gesehen. Lass uns doch diese Woche mal skypen!

Aber eigentlich schreibe ich dir, weil ich gerade einen Artikel über genetisch manipulierte Lebensmittel gelesen habe. Hier in Deutschland will man jetzt alle Gen-Lebensmittel kennzeichnen, d. h., wenn ich etwas kaufe, weiß ich dann genau, ob es genmanipuliert ist oder nicht. Da steht dann drauf „Ohne Gentechnik". Und dann habe ich gelesen, dass man in den USA gar nicht weiß, ob etwas manipuliert ist, weil die Lebensmittel nicht gekennzeichnet werden. Besonders Soja und Mais werden immer weiter gentechnisch verändert. Was denkst du? Sollte der Verbraucher wissen, ob Lebensmittel manipuliert sind? Ich habe irgendwo gelesen, dass in den USA Kühe geklont werden dürfen. Bei uns ist das nicht erlaubt. Was denkst du denn darüber? Hast du dort schon mal Klonfleisch gegessen? Ich denke, alles hat Vor- und Nachteile. Durch Genmanipulation kann man Pflanzen so verändern, dass sie gegen Insekten resistent sind. Viele Menschen kriegen ja gar nicht genug zu essen, vielleicht könnte Gentechnik dort helfen und eine Lösung sein?

Na ja, mal sehen, ob du seltsam aussiehst, wenn du zurückkommst, und ob dir das Klonfleisch geschadet hat ;-). Schreib mir aber doch bitte bald, was du darüber denkst.

Du fehlst uns sehr :'(

Philine

4-3 Science and Technology – Personal Technologies

Sie arbeiten in einem Computerfachgeschäft. Sie bekommen diese E-Mail von einem Kunden, der einen neuen Computer kaufen möchte und Sie um Rat bittet.

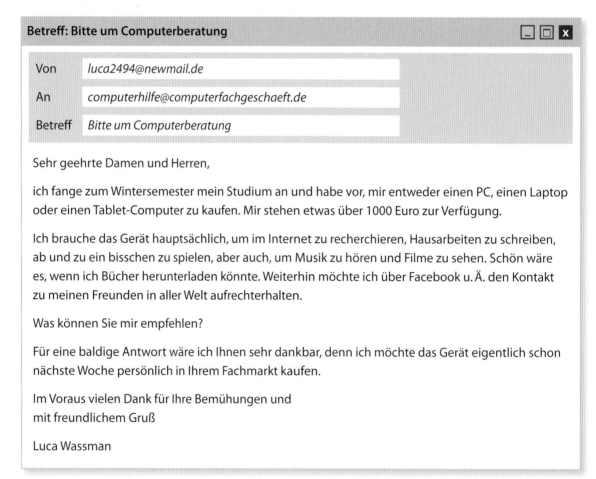

Betreff: Bitte um Computerberatung   ⬓ ⬜ ❎

Von	luca2494@newmail.de
An	computerhilfe@computerfachgeschaeft.de
Betreff	Bitte um Computerberatung

Sehr geehrte Damen und Herren,

ich fange zum Wintersemester mein Studium an und habe vor, mir entweder einen PC, einen Laptop oder einen Tablet-Computer zu kaufen. Mir stehen etwas über 1000 Euro zur Verfügung.

Ich brauche das Gerät hauptsächlich, um im Internet zu recherchieren, Hausarbeiten zu schreiben, ab und zu ein bisschen zu spielen, aber auch, um Musik zu hören und Filme zu sehen. Schön wäre es, wenn ich Bücher herunterladen könnte. Weiterhin möchte ich über Facebook u. Ä. den Kontakt zu meinen Freunden in aller Welt aufrechterhalten.

Was können Sie mir empfehlen?

Für eine baldige Antwort wäre ich Ihnen sehr dankbar, denn ich möchte das Gerät eigentlich schon nächste Woche persönlich in Ihrem Fachmarkt kaufen.

Im Voraus vielen Dank für Ihre Bemühungen und
mit freundlichem Gruß

Luca Wassman

4-4 Contemporary Life – Entertainment, Travel and Leisure

Die folgende E-Mail ist von einem unzufriedenen Kunden. Sie bekommen diese Nachricht, weil Sie für den Reiseveranstalter arbeiten. Bitte beantworten Sie die Reklamation.

Betreff: Reklamation   ▢ ▢ ✕

Von	jedermann@post.de
An	info@reiseveranstalter.de
Betreff	Reklamation

Sehr geehrte Damen und Herren,

leider muss ich mich bei Ihnen über die schlechten Leistungen während unserer Reise nach Mallorca im August dieses Jahres beschweren. Abgesehen von den drei Tagesausflügen, die im Voraus gebucht und bezahlt wurden, aber nicht stattfanden, gab es auch erhebliche Probleme mit dem Hotel Vista. Der versprochene (und bezahlte!!!) Meerblick wurde durch die Bauarbeiten und das Gerüst vor dem Fenster massiv gestört. Hinzu kamen noch erhebliche Probleme mit der Sauberkeit. Unser Zimmer war schlicht und ergreifend dreckig; das Badezimmer roch schlecht und die Toiletten-spülung funktionierte nur ab und zu. Als wir das dem Personal mitteilten, wurden wir unfreundlich abgewimmelt.

Auch ließ die sogenannte „Vollpension" sehr zu wünschen übrig. Wir hatten natürlich Frühstück, Mittagessen und Abendbrot erwartet. Das Buffet, das vom Hotel morgens, mittags und abends angeboten wurde, konnte man aber wirklich kaum als essbar bezeichnen!

Auf Mallorca gab es für uns leider keine Hilfe, da der Reisebegleiter nur gebrochen Deutsch sprach und wir deshalb nicht mit ihm über die Probleme reden konnten. Außerdem war er sehr unfreundlich.

Die Liste der Probleme insgesamt ist so lang, dass es keine Möglichkeit gibt, sie in dieses Schreiben zu integrieren. Deshalb finden Sie eine ausführliche Darstellung mit Fotos, die diese Zustände belegen, im Anhang. Für diesen versauten Urlaub kann nicht auch noch Geld verlangt werden, deshalb erwarten wir von Ihnen eine entsprechende Rückerstattung der Reisekosten.

Mit freundlichen Grüßen

Michael und Ute Jedermann

4-5 Contemporary Life – Education and Career

Sie sind die Journalistin Ulla Hartzog und haben für Ihre Zeitung den Artikel „Studium oder nicht?" geschrieben, der im Ausbildungs- und Berufsteil erschienen ist. Sie bekommen viele Leserbriefe. Hier schreibt Ihnen eine besorgte Mutter. Bitte beraten Sie die Frau.

Betreff: Ihr Artikel in „Ausbildung und Beruf" ⬓ ⬓ ❌

Von	ahamer@mail.de
An	hartzog@hamburgeraz.org
Betreff	Ihr Artikel in „Ausbildung und Beruf"

Sehr geehrte Frau Hartzog,

meine Tochter Lilou geht z. Z. in die 10. Klasse der Brecht-Gesamtschule. Mehrere ihrer Freunde spielen mit dem Gedanken, die Schule nach diesem Schuljahr zu verlassen, um eine Ausbildung anzufangen. Andere haben fest vor, das Abitur zu machen und zu studieren. Es ist momentan schwer, Lilou zu motivieren. Morgens kommt sie nicht aus dem Bett, nachmittags macht sie ihre Hausaufgaben nicht und sitzt vor der Glotze (ihre Lieblingsshow ist eine amerikanische Serie über Schule: „Glee"), am Wochenende ist sie bis spät nachts unterwegs. Man kann mit ihr nicht mehr vernünftig sprechen.

Mein Mann und ich finden, dass sie mindestens ihr Abitur machen soll, damit sie später bessere Chancen hat. Welche Argumente könnten Sie mir für Abitur und Studium nennen, damit ich Lilou davon überzeugen kann?

Und welche Argumente sprechen eventuell dafür, jetzt die Schule zu verlassen? Wenn ich wüsste, dass es gute Gründe für eine Ausbildung gibt, könnte ich mich mit dem Gedanken, dass sie kein Abitur macht und auch nicht studiert, sicherlich besser anfreunden.

Ich danke Ihnen im Voraus für Ihre Hilfe und verbleibe
mit freundlichen Grüßen

Alice Hamer

4-6 Contemporary Life – Health and Well-Being

Sie sind Frau Dr. Roswitha Rose, arbeiten für die Zeitschrift „Gesund leben" und haben einen Artikel über den Verzicht auf Fleisch geschrieben. Nun bekommen Sie diese E-Mail von dem 16-jährigen Ulli Herrmann. Bitte schreiben Sie ihm und beantworten Sie seine Fragen.

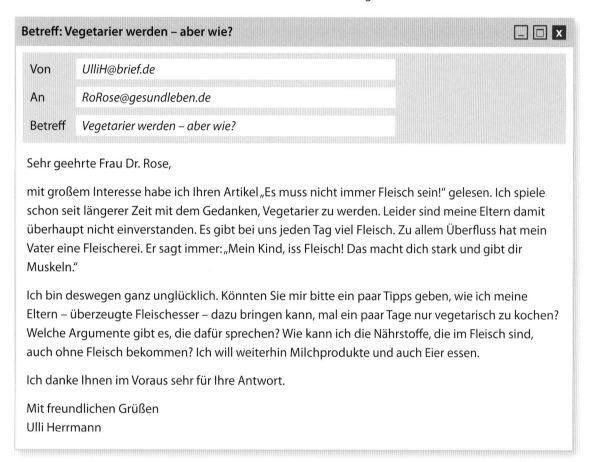

Betreff: Vegetarier werden – aber wie?

Von	UlliH@brief.de
An	RoRose@gesundleben.de
Betreff	Vegetarier werden – aber wie?

Sehr geehrte Frau Dr. Rose,

mit großem Interesse habe ich Ihren Artikel „Es muss nicht immer Fleisch sein!" gelesen. Ich spiele schon seit längerer Zeit mit dem Gedanken, Vegetarier zu werden. Leider sind meine Eltern damit überhaupt nicht einverstanden. Es gibt bei uns jeden Tag viel Fleisch. Zu allem Überfluss hat mein Vater eine Fleischerei. Er sagt immer: „Mein Kind, iss Fleisch! Das macht dich stark und gibt dir Muskeln."

Ich bin deswegen ganz unglücklich. Könnten Sie mir bitte ein paar Tipps geben, wie ich meine Eltern – überzeugte Fleischesser – dazu bringen kann, mal ein paar Tage nur vegetarisch zu kochen? Welche Argumente gibt es, die dafür sprechen? Wie kann ich die Nährstoffe, die im Fleisch sind, auch ohne Fleisch bekommen? Ich will weiterhin Milchprodukte und auch Eier essen.

Ich danke Ihnen im Voraus sehr für Ihre Antwort.

Mit freundlichen Grüßen
Ulli Herrmann

4-7 Personal and Public Identity – National Identity

Sie haben eine E-Mail von dem 16 Jahre alten Ünal Acar bekommen, dessen Eltern aus der Türkei kommen. Er wurde in Darmstadt geboren und lebt immer noch dort. Eine Lehrerin an seiner Schule und die Deutschlehrerin an Ihrer High School kennen sich und haben vor einiger Zeit Brieffreundschaften für die Schülerinnen und Schüler organisiert. Sie haben Ünal schon ein paar Mal gemailt und wollen jetzt auf seine neue E-Mail antworten. Bitte gehen Sie auf seine Fragen ein und geben Sie ihm Rat.

Betreff: Zwischen zwei Stühlen	⬚ ⬚ ❌
Von	acar153@darmstadt.de
An	pattycake@geegle.com
Betreff	Zwischen zwei Stühlen

Hi,

vielen Dank für deine ausführliche Mail. Ich beneide dich wirklich darum, dass es bei dir so gut läuft! Bei mir ist in letzter Zeit leider alles etwas schwierig.

Du weißt ja, dass ich in Deutschland aufgewachsen bin, aber dass meine Eltern mich und meine Geschwister „türkisch" erzogen haben. Jetzt kommt es mir manchmal so vor, als ob ich zwischen zwei Stühlen sitzen würde. Manchmal habe ich das Gefühl, dass die Leute hier denken, dass ich nicht zu ihnen gehöre. Ab und zu habe ich zum Beispiel den Eindruck, dass sie sich wundern, wenn ich den Mund aufmache und akzentfrei Deutsch spreche. Ich bin aber Deutscher und kenne die Türkei eigentlich nur von Besuchen und aus Erzählungen. Und es gibt das Problem auch umgekehrt: Wenn ich bei meinen Großeltern in der Türkei bin, werde ich als Deutscher angesehen, denn ich spreche leider gar nicht so toll Türkisch. Dann weiß ich manchmal gar nicht, wo ich hingehöre, oder ob ich überhaupt irgendwo hingehöre … Was soll ich nur tun? Ist es nicht vielleicht auch möglich, einfach zwei Kulturen als Hintergrund zu haben? Oder muss man sich wirklich für eine entscheiden? Was meinst du? Und wie ist das in den USA?

Es wäre total super, wenn du bald schreiben würdest.

LG

dein Ünal

4-8 Families and Communities – Relationships

Sie heißen Chris und schreiben die Ratgeberkolumne für die „LilyS", die Zeitung der Lily-Steiner-Schule in Brieselang. Hier ist ein Brief von Dani, den Sie für die Zeitung beantworten sollen.

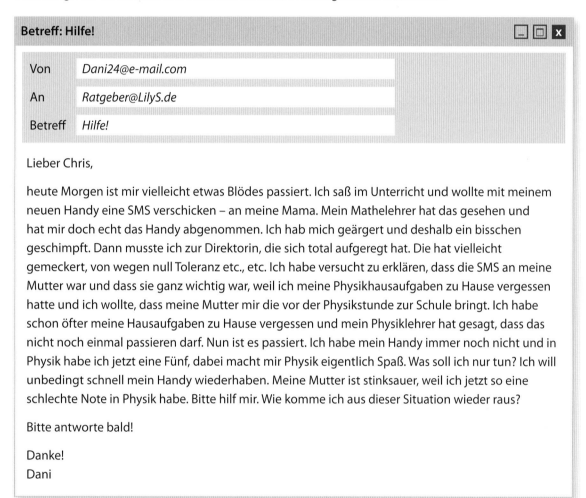

Betreff: Hilfe!

Von	Dani24@e-mail.com
An	Ratgeber@LilyS.de
Betreff	Hilfe!

Lieber Chris,

heute Morgen ist mir vielleicht etwas Blödes passiert. Ich saß im Unterricht und wollte mit meinem neuen Handy eine SMS verschicken – an meine Mama. Mein Mathelehrer hat das gesehen und hat mir doch echt das Handy abgenommen. Ich hab mich geärgert und deshalb ein bisschen geschimpft. Dann musste ich zur Direktorin, die sich total aufgeregt hat. Die hat vielleicht gemeckert, von wegen null Toleranz etc., etc. Ich habe versucht zu erklären, dass die SMS an meine Mutter war und dass sie ganz wichtig war, weil ich meine Physikhausaufgaben zu Hause vergessen hatte und ich wollte, dass meine Mutter mir die vor der Physikstunde zur Schule bringt. Ich habe schon öfter meine Hausaufgaben zu Hause vergessen und mein Physiklehrer hat gesagt, dass das nicht noch einmal passieren darf. Nun ist es passiert. Ich habe mein Handy immer noch nicht und in Physik habe ich jetzt eine Fünf, dabei macht mir Physik eigentlich Spaß. Was soll ich nur tun? Ich will unbedingt schnell mein Handy wiederhaben. Meine Mutter ist stinksauer, weil ich jetzt so eine schlechte Note in Physik habe. Bitte hilf mir. Wie komme ich aus dieser Situation wieder raus?

Bitte antworte bald!

Danke!
Dani

4-9 Families and Communities – Urban, Suburban and Rural Life

Diese E-Mail ist von Herrn Thomas Jones, der bald eine Stelle als Ingenieur in München antreten wird. Sie arbeiten bei *Real Immobilien* und sind auf Wohnungen und Häuser in München und Umgebung spezialisiert.

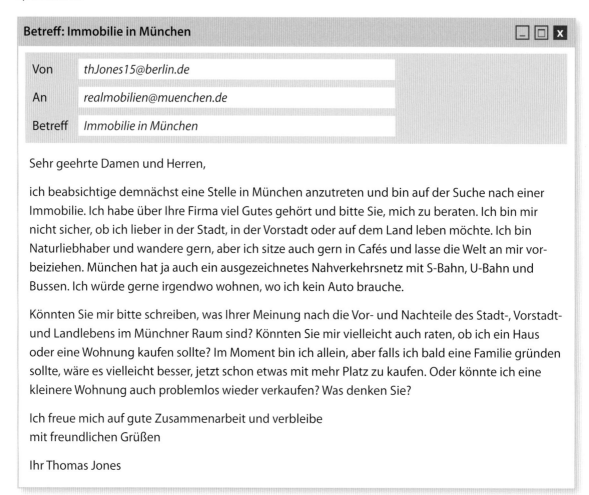

Betreff: Immobilie in München ▫ ▫ **X**

Von	thJones15@berlin.de
An	realmobilien@muenchen.de
Betreff	Immobilie in München

Sehr geehrte Damen und Herren,

ich beabsichtige demnächst eine Stelle in München anzutreten und bin auf der Suche nach einer Immobilie. Ich habe über Ihre Firma viel Gutes gehört und bitte Sie, mich zu beraten. Ich bin mir nicht sicher, ob ich lieber in der Stadt, in der Vorstadt oder auf dem Land leben möchte. Ich bin Naturliebhaber und wandere gern, aber ich sitze auch gern in Cafés und lasse die Welt an mir vorbeiziehen. München hat ja auch ein ausgezeichnetes Nahverkehrsnetz mit S-Bahn, U-Bahn und Bussen. Ich würde gerne irgendwo wohnen, wo ich kein Auto brauche.

Könnten Sie mir bitte schreiben, was Ihrer Meinung nach die Vor- und Nachteile des Stadt-, Vorstadt- und Landlebens im Münchner Raum sind? Könnten Sie mir vielleicht auch raten, ob ich ein Haus oder eine Wohnung kaufen sollte? Im Moment bin ich allein, aber falls ich bald eine Familie gründen sollte, wäre es vielleicht besser, jetzt schon etwas mit mehr Platz zu kaufen. Oder könnte ich eine kleinere Wohnung auch problemlos wieder verkaufen? Was denken Sie?

Ich freue mich auf gute Zusammenarbeit und verbleibe
mit freundlichen Grüßen

Ihr Thomas Jones

4-10 Beauty and Aesthetics – Language and Literature

Diese E-Mail ist von Monica Lugar, einer Deutschlehrerin an der Marie-Curie-High School in Rochelle, Illinois. Sie hat Ihren Namen von einer gemeinsamen Bekannten bekommen, die Sie empfohlen hat, da Sie in einer deutschen Bibliothek arbeiten. Bitte gehen Sie auf ihre Fragen ein und geben Sie ihr Rat.

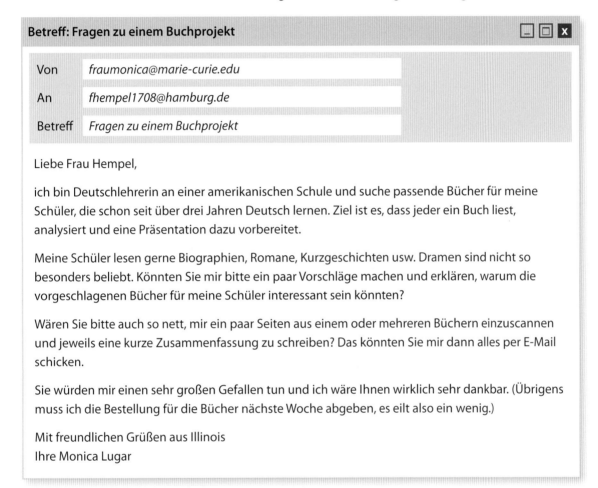

Betreff: Fragen zu einem Buchprojekt _ □ X

Von	fraumonica@marie-curie.edu
An	fhempel1708@hamburg.de
Betreff	Fragen zu einem Buchprojekt

Liebe Frau Hempel,

ich bin Deutschlehrerin an einer amerikanischen Schule und suche passende Bücher für meine Schüler, die schon seit über drei Jahren Deutsch lernen. Ziel ist es, dass jeder ein Buch liest, analysiert und eine Präsentation dazu vorbereitet.

Meine Schüler lesen gerne Biographien, Romane, Kurzgeschichten usw. Dramen sind nicht so besonders beliebt. Könnten Sie mir bitte ein paar Vorschläge machen und erklären, warum die vorgeschlagenen Bücher für meine Schüler interessant sein könnten?

Wären Sie bitte auch so nett, mir ein paar Seiten aus einem oder mehreren Büchern einzuscannen und jeweils eine kurze Zusammenfassung zu schreiben? Das könnten Sie mir dann alles per E-Mail schicken.

Sie würden mir einen sehr großen Gefallen tun und ich wäre Ihnen wirklich sehr dankbar. (Übrigens muss ich die Bestellung für die Bücher nächste Woche abgeben, es eilt also ein wenig.)

Mit freundlichen Grüßen aus Illinois
Ihre Monica Lugar

Introduction

In this part you are asked to write a persuasive essay with the help of the supporting materials provided. You will read an article and interpret a table or a chart, and then listen to an audio source that is thematically related to the other materials (*Quellenmaterial*). During the actual exam, you will have 40 minutes for this task. It is important that you use all three sources to support your arguments. You will see the following instructions:

→ You will write a persuasive essay to submit to a German writing contest. The essay topic is based on three accompanying sources, which present different viewpoints on the topic and include both print and audio material.
First, you will have 6 minutes to read the essay topic and the printed material. Afterward, you will hear the audio material twice; you should take notes while you listen.
Then, you will have 40 minutes to prepare and write your essay. In your persuasive essay, you should present the sources' different viewpoints on the topic and also clearly indicate your own viewpoint and defend it thoroughly. Use information from all of the sources to support your essay. As you refer to the sources, identify them appropriately. Also, organize your essay into clear paragraphs.

→ *Sie werden an einem deutschen Schreibwettbewerb teilnehmen und reichen einen Aufsatz ein, in dem Sie überzeugend und klar Ihre Argumente darstellen. Das Thema des Aufsatzes basiert auf drei Quellen, die jeweils einen anderen Aspekt dieses Themas darstellen. Diese Quellen bestehen jeweils aus Hör- und Lesetexten.*
Zuerst haben Sie 6 Minuten Zeit, um das Aufsatzthema und die zusätzlichen Informationen zu lesen. Danach werden Sie den Hörtext zweimal hören. Dabei sollten Sie sich Notizen machen.
Dann haben Sie 40 Minuten Zeit, um den Aufsatz zu organisieren und zu schreiben. Ihr Aufsatz sollte unterschiedliche Meinungen der Quellen zu dem Thema behandeln und Ihre eigene Meinung dazu klar ausdrücken und verteidigen. Benutzen Sie die Informationen, die Ihnen durch das Quellenmaterial zur Verfügung gestellt wurden, um Ihre Meinung zu begründen! Wenn Sie auf das Quellenmaterial verweisen, identifizieren Sie dieses entsprechend. Zudem sollte der Aufsatz übersichtlich in Absätze gegliedert sein.

Strategies

→ Use supporting details and make sure to refer to all three sources.
→ State your viewpoint clearly.
→ Use a variety of vocabulary.
→ Use idiomatic expressions.
→ Stay in the correct time frame .
→ Organize your essay using effective transitional elements (for example *zuerst, dann, danach, zuletzt*) and cohesive devices (*weil, denn, dass, sowohl … als auch*, and other conjunctions).
→ Use a variety of sentence structures: simple, compound and complex .
→ Structure your essay following the chart below.

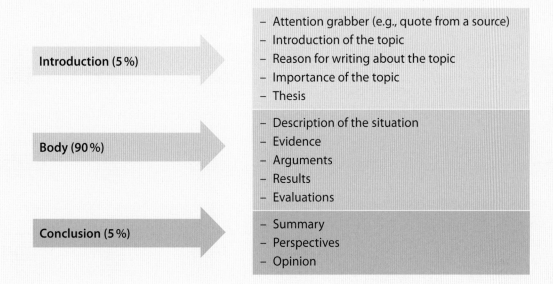

Introduction (5 %)

– Attention grabber (e.g., quote from a source)
– Introduction of the topic
– Reason for writing about the topic
– Importance of the topic
– Thesis

Body (90 %)

– Description of the situation
– Evidence
– Arguments
– Results
– Evaluations

Conclusion (5 %)

– Summary
– Perspectives
– Opinion

Presentational Writing: Writing Expressions

Interessante Eröffnung	Attention grabber
– Zitat aus vorgegebenem Quellenmaterial: „Das Äußere zählt."	– Headline: "Appearance counts."
– statistische Angabe: 82 % der deutschen Jugendlichen sind markenbewusst.	– Statistical Evidence: 82 % of German teenagers are brand-conscious.
– Frage: Teenager fragen sich jeden Morgen: „Was soll ich nur zur Schule anziehen?"	– Question: Teenagers ask themselves every morning: "What should I wear to school?"
– Sprichwort: Kleider machen Leute!	– Saying: Fine feathers make fine birds!
– persönlicher Bezug: Viele meiner Freunde geben viel Geld für Kleidung aus.	– Personalization: Many of my friends spend a lot of money on clothes.

Thema	Topic
– Es geht in der Quelle / den Quellen um …	– The topic of the source/sources is …
– Der Text / Das Schaubild / Der Artikel / Die Aufnahme behandelt das Thema hat … zum Thema handelt von … / ist über …	
– In diesem Text/Schaubild/Artikel / dieser Aufnahme geht es um … Es geht hier um …	– The text/chart/article/recording deals with the topic … is about …

Welcher Standpunkt wird vertreten?	What viewpoint is expressed?
– Die Autorin / Der Autor des Textes vertritt den Standpunkt … erklärt … behauptet … ist der Meinung, dass …	– The author of the text expresses the point of view … explains … claims … is of the opinion that …
– Es wird der Standpunkt / die Meinung vertreten, dass …	– The point of view / opinion being expressed is that …
– Es soll darauf aufmerksam gemacht werden, dass … wie … warum … auf welche Art (und Weise) … in welcher Form … mit welchen Methoden …	– It should be pointed out that … how … why … in what manner … in what form … with which methods …
– Der Standpunkt der Autorin / des Autors ist …	– The point of view of the author is …

Argumentation	Argue your point
– Die Autorin / Der Autor begründet ihre/seine Meinung / belegt ihre/seine Meinung mit den folgenden Argumenten: … begründet ihren/seinen Standpunkt belegt ihren/seinen Standpunkt mit den folgenden Argumenten: …	– The author bases her/his opinion / supports her/his opinion with the following arguments: … bases her/his point of view supports her/his point of view with the following arguments: …
– Sie/Er möchte zeigen / beweisen / darauf aufmerksam machen, dass …	– She/He would like to show that / prove that / call attention to …
– Zur Unterstützung ihrer/seiner These verwendet sie/er das Argument, dass …	– In support of her/his thesis she/he uses the argument that …
– Ihrer/Seiner Meinung nach …	– In her/his opinion …
– Im Gegensatz dazu …	– On the contrary …
– Im Unterschied zu …	– In contrast to …
– Im Vergleich zu …	– In comparison to …

Bezug auf Quellen	Refer to sources
– Thema des Schaubilds ist …	– The topic of the chart is …
– Die Tabelle / Das Schaubild / Die Statistik / Die Grafik / Das Diagramm gibt Auskunft über …	– The table/chart/statistics/graph/diagram provides information about …
– Die Grafik / Die Tabelle / Das Schaubild zeigt, dass/wie …	– The graph/table/chart shows that/how …
– Die Daten sind aus dem Jahr …	– The data is from (the year) …
– Die Daten stammen vom / von der …	– The source is …
– Das Schaubild wurde vom / von der … erstellt.	– The chart was created/published by …
– Die Tabelle gibt Auskunft über folgende Aspekte: …	– The table provides information about the following aspects …
– Aus dem Schaubild geht hervor, dass/wie …	– The chart shows that/how …
– Aus dem Schaubild geht allerdings nicht hervor, dass/wie …	– However the chart does not show that/how …
– Laut Quelle 1 …	– According to source 1 …

5 Presentational Writing

Persuasive Essay

Meinungen ausdrücken	Express an opinion
– Ich denke, dass …	– I think that …
– Ich finde, dass …	– I believe that …
– Ich behaupte, dass …	– I claim that …
– Mir scheint, dass / als ob …	– It seems to me that / as if …
– Ich bin der Meinung, dass …	– I'm of the opinion that …
– Meiner Meinung nach …	– In my opinion …
– Ich bin ganz anderer Meinung.	– I disagree completely.
– Ich denke/finde, …	– I think/find …
– Ich bin überzeugt (davon) , dass …	– I am convinced that …
– Die Argumente sind gut begründet / fundiert/ sinnvoll/unsinnig.	– The arguments are well founded / sound sensible/absurd.
– Die Argumente haben/ergeben keinen Sinn.	– The arguments make no sense.
– Die Argumente sind widersprüchlich.	– The arguments are contradictory.

Abschließende Bemerkungen	Conclusion
– Abschließend möchte ich sagen, dass …	– In conclusion I would like to say that …
– Zum Abschluss lässt sich sagen, dass …	– In conclusion it can be said that …
– Letztlich erscheint mir, dass die Meinung / der Standpunkt / die Argumentation …	– Finally, it seems to me that the opinion / the point of view / the argument …
– Zusammenfassend lässt sich sagen, dass …	– To summarize it can be said …
– Im Großen und Ganzen erscheint mir …	– Overall it seems to me …
– Ich denke, dass die Autorin / der Autor Recht hat und ihre/seine These/Meinung/ Argumentation	– I think that the author is correct and her/his thesis/opinion/argument(ation) /
ihren/seinen Standpunkt	point of view is
gut/überzeugend/treffend vertritt.	well/convincingly/conclusively illustrated.
– Ich denke, dass die Autorin / der Autor Unrecht hat und ihre/seine These/Meinung/ Argumentation	– I think that the author is wrong and her/his thesis/opinion/argument(ation) /
ihren/seinen Standpunkt	point of view is
schlecht / wenig überzeugend / unzulänglich / ungenügend vertritt.	badly / hardly convincing / inadequately / insufficiently illustrated.
– Ich fasse zusammen: …	– To summarize …

Prüfungstraining | AP® German Language and Culture | © 2013 Cornelsen Schulverlage GmbH, Berlin. Alle Rechte vorbehalten.

Outline

Here is an outline, which will help you organize your thoughts for your persuasive essay.

What are the key words of the question?

_____ _____ _____

Your thesis:

_____

_____

_____

Source 1	Source 2	Source 3

Key ideas which support your thesis:

1. _____

   Which source supports this idea? _____

2. _____

   Which source supports this idea? _____

3. _____

   Which source supports this idea? _____

Conclusion:

_____

5-1 Global Challenges – Economic Issues

Aufsatzthema
Die Weltbevölkerung wächst täglich. Sind genmanipulierte Lebensmittel die Antwort auf den wachsenden Nahrungsmittelbedarf?

Quellenmaterial 1

Übersicht
In diesem Text geht es um den Streit über genmanipulierte Lebensmittel. Der ursprüngliche Artikel wurde am 18. März 2011 von der Deutschen Welle veröffentlicht.

EU streitet um Klonfleisch und Gen-Food

Beim EU-Landwirtschaftsministerrat prallen die Meinungen aufeinander. Der Verbraucher-kommissar fordert wissenschaftliches Denken beim Thema genmanipulierte Lebensmittel.

Auch die EU-Landwirtschaftsminister kommen um das Thema Japan und seine nukleare Katastrophe nicht herum. Die Kommission hat die Mitgliedsstaaten aufgerufen, aus Japan einge-
5 führte Lebensmittel auf Strahlenbelastung hin zu überprüfen. Dabei rennt sie meist offene Türen ein. Ansonsten war es ein Tag der Nicht-Einigungen, zum Beispiel beim Umgang mit Produkten von geklonten Tieren, vor allem Fleisch und Milch. Bisher gibt es keine EU-Regelungen zum sogenannten Klonfleisch. Die deutsche Landwirtschaftsministerin Ilse Aigner fordert von der Kommission, „dass sie eine eigene Regelung zum Verbot von Klonen generell vorlegt, und zweitens
10 geht es bei uns natürlich auch um das Verbot von Klonfleisch selbst".

Die Kennzeichnung von Fleisch von Nachkommen geklonter Tiere hält sie dagegen für kaum praktikabel. Bei der Frage der Kennzeichnung gehen aber nicht nur die Meinungen zwischen einzelnen Mitgliedsstaaten auseinander, sondern noch mehr zwischen dem Rat der Mitgliedsstaaten, Kommission und Parlament. Die Verhandlungen zwischen den drei Beteiligten sind erst
15 einmal gescheitert. Der deutsche christdemokratische Europaabgeordnete Peter Liese meinte dazu, der Verbraucher solle offenbar „Klonfleisch essen, ohne es zu erfahren". Einigen sich nicht alle drei Seiten bis Ende des Monats auf eine gemeinsame Regelung, werden wohl Länder wie die USA Klonfleisch in die EU einführen dürfen.

„Debatte auf rationale Ebene bringen"
20 Die Landwirtschaftsminister haben sich auch nicht auf die Zulassung von Produkten aus zwei gentechnisch veränderten Maissorten und einer genveränderten Baumwollsorte einigen können. Da weder eine Mehrheit für noch gegen die Zulassung zustande kam, muss jetzt die Kommission entscheiden. Und sie wird die Zulassung wohl genehmigen, denn die Europäische Behörde für Lebensmittelsicherheit hat die Produkte für unbedenklich erklärt. EU-Gesundheits- und
25 Verbraucherkommissar John Dalli ist die ganze Diskussion zu emotional. „Es ist wichtig, dass wir die Debatte über genmanipulierte Organismen auf eine rationale Ebene bringen und dass wir festgestellte Risiken von möglichen Risiken und Fakten von Eindrücken trennen." Er selbst setze

---

in dieser Frage allein auf die Wissenschaft, so Dalli. Doch es gibt wenige Themen in der EU, bei denen so heftig und so ideologisch gestritten wird wie bei genmanipulierten Lebensmitteln.

Quellenmaterial 2

Übersicht

Diese Grafik zeigt, was deutsche Bürgerinnen und Bürger in einer Umfrage zum Thema Genmanipulation sagen.

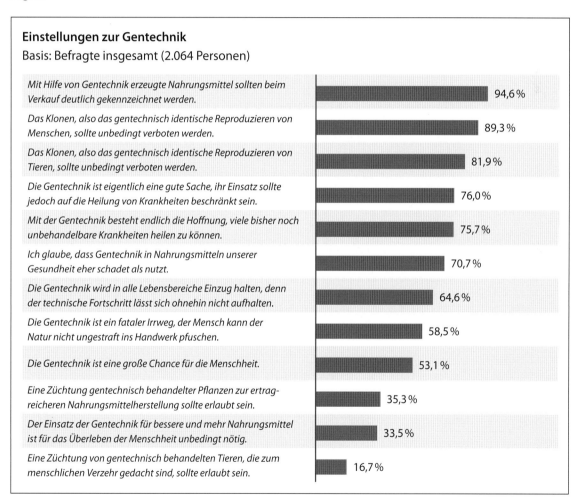

Einstellungen zur Gentechnik
Basis: Befragte insgesamt (2.064 Personen)

Mit Hilfe von Gentechnik erzeugte Nahrungsmittel sollten beim Verkauf deutlich gekennzeichnet werden.	94,6 %
Das Klonen, also das gentechnisch identische Reproduzieren von Menschen, sollte unbedingt verboten werden.	89,3 %
Das Klonen, also das gentechnisch identische Reproduzieren von Tieren, sollte unbedingt verboten werden.	81,9 %
Die Gentechnik ist eigentlich eine gute Sache, ihr Einsatz sollte jedoch auf die Heilung von Krankheiten beschränkt sein.	76,0 %
Mit der Gentechnik besteht endlich die Hoffnung, viele bisher noch unbehandelbare Krankheiten heilen zu können.	75,7 %
Ich glaube, dass Gentechnik in Nahrungsmitteln unserer Gesundheit eher schadet als nutzt.	70,7 %
Die Gentechnik wird in alle Lebensbereiche Einzug halten, denn der technische Fortschritt lässt sich ohnehin nicht aufhalten.	64,6 %
Die Gentechnik ist ein fataler Irrweg, der Mensch kann der Natur nicht ungestraft ins Handwerk pfuschen.	58,5 %
Die Gentechnik ist eine große Chance für die Menschheit.	53,1 %
Eine Züchtung gentechnisch behandelter Pflanzen zur ertragreicheren Nahrungsmittelherstellung sollte erlaubt sein.	35,3 %
Der Einsatz der Gentechnik für bessere und mehr Nahrungsmittel ist für das Überleben der Menschheit unbedingt nötig.	33,5 %
Eine Züchtung von gentechnisch behandelten Tieren, die zum menschlichen Verzehr gedacht sind, sollte erlaubt sein.	16,7 %

Quellenmaterial 3

Übersicht

 In diesem Interview aus dem Jahr 2012 beschreibt Günther Gruska seine Sicht auf genmanipulierte Lebensmittel. Herr Gruska lebt seit über 80 Jahren in Berlin und zieht es vor gesund zu leben.

5-2 Beauty and Aesthetics – Fashion and Design

Aufsatzthema
Sollten Schulen vorschreiben, welche Kleidung die Schülerinnen und Schüler in der Schule anziehen müssen?

Quellenmaterial 1

Übersicht
In diesem Text wird berichtet, dass Kleidung eine wichtige Rolle im Leben der Menschen spielt und viele Menschen andere nach dem Äußeren beurteilen. Der Artikel wurde am 25. Januar 2011 von der Deutschen Welle veröffentlicht.

Kleider machen Leute

Hemd, Bluse und Blazer: Die Kleidung entscheidet, ob wir bei der Arbeit ernst genommen werden. Der erste Eindruck ist der wichtigste. Deshalb haben Firmen oft Dresscodes.

Wenn Angela Merkel keine ordentliche Frisur hat, gibt es Kritik. Die Wähler haben bestimmte Vorstellungen davon, wie Politiker aussehen sollen. Und bei Politikerinnen sind sie besonders
5 kritisch. Von Frauen wird in der Politik nicht nur erwartet, dass sie sich seriös kleiden, sondern auch, dass sie weiblich sein sollen. Dresscodes gibt es in vielen Berufen. Entweder weil es praktisch ist, oder weil es darauf ankommt, ernst genommen zu werden.

Josefine Paul ist neu in der Politik. Den Dresscode, den es für Politiker gibt, findet sie praktisch. Privat trägt die Abgeordnete der Partei „Die Grünen" gerne Jeans und T-Shirt. Blusen, Blazer und
10 Stoffhosen sind hingegen Josefines Berufskleidung. Sie erklärt: „In meinem Alter, mit 28 Jahren, möchte man auch nicht unbedingt dadurch auffallen, dass man der flippigste Typ ist, sondern man möchte ernst genommen werden. Das ist manchmal eben ein bisschen leichter, wenn man Bluse und Blazer trägt."

Die Etikette-Trainerin Gabriele Krischel ist der Meinung, dass Kleidung in bestimmten Berufen wie
15 eine Uniform funktioniert: Man fühlt sich sicherer und muss sich keine Gedanken machen, was richtig oder falsch ist. Krischel erklärt: „Man sagt, dass man den ersten Eindruck in den ersten 30 Minuten nicht ändern kann." Deshalb ist es in vielen Berufen wichtig, zu wissen, was der Kunde möchte. Als zum Beispiel eine Bank ihre Auszubildenden in Jeans und Hemden arbeiten ließ, wurden diese von den Kunden ignoriert.

20 Was bei Berufskleidung als neutral gilt, ist natürlich eine Frage der Kultur und Tradition. In Deutschland machen es inzwischen immer mehr Firmen so wie die Schweizer Bank UBS: Sie stecken ihre Mitarbeiter in Uniformen. Dann müssen diese sich nur noch korrekt verhalten, denn: Schlechte Umgangsformen können auch das beste Outfit kaputtmachen.

Deutsch zum Mitnehmen: Kostenlos Deutsch lernen mit der DW.
Mehr auf www.dw.de/deutschlernen

Quellenmaterial 2

Übersicht

Dieses Schaubild stellt dar, was Jugendliche von 12 bis 18 Jahren über das Aussehen denken und was für sie am wichtigsten ist.

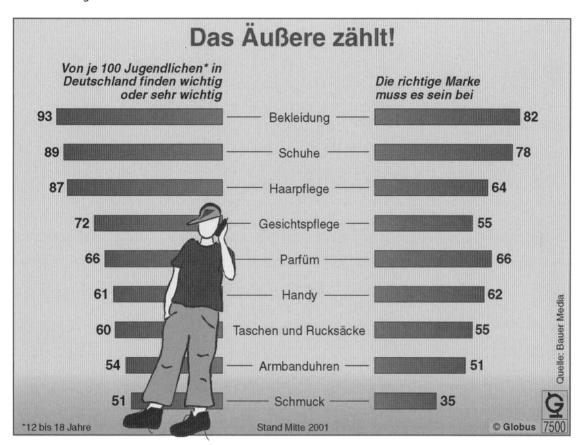

Quellenmaterial 3

Übersicht

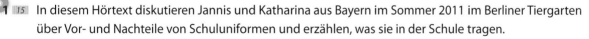

1 [15] In diesem Hörtext diskutieren Jannis und Katharina aus Bayern im Sommer 2011 im Berliner Tiergarten über Vor- und Nachteile von Schuluniformen und erzählen, was sie in der Schule tragen.

5-3 Science and Technology – Healthcare and Medicine

Aufsatzthema
Welche Art der Medizin würden Sie bevorzugen, alternative Medizin oder Schulmedizin?

Quellenmaterial 1

Übersicht
In diesem Text geht es um eine Weiterbildung in Traditioneller Chinesischer Medizin für deutsche Studierende. Der ursprüngliche Artikel wurde am 4. November 2004 von der Deutschen Welle veröffentlicht.

Antibiotikum oder Akupunktur?

Noch immer sind alternative Heilmethoden ein Stiefkind der humanmedizinischen Ausbildung. Hunderte deutsche Studenten reisen deshalb jährlich nach Peking, um sich dort mit Traditioneller Chinesischer Medizin zu befassen.

Trotz großer Nachfrage der Bevölkerung sind alternative Heilmethoden kaum in den Lehrplänen
5 der medizinischen Hochschulen vorhanden. Medizinstudenten aus Deutschland, der Schweiz und Österreich reisen deshalb zur Weiterbildung nach Peking – meist auf eigene Kosten.

Aufenthalt mit Stundenplan
Teilnehmer einer 32-köpfigen studentischen Reisegruppe ist Michael aus Heidelberg. Fünf Wochen lang wird er sich in der chinesischen Metropole aufhalten, will Land und Leute kennen lernen und
10 vor allem: intensive Einblicke in die chinesische Medizin bekommen.

Die Tage in Peking sind straff durchgeplant. Im 2000 Betten großen China-Japan Hospital lernen Michael und seine Kommilitonen in Theorie und Praxis das Wichtigste über Akupunktur, Aku-pressur, Tuina Massage und Moxibustion. „Es geht um 8 Uhr los – ziemlich früh für deutsche Studenten. Wir sind vier Stunden in der Ambulanz und laufen dort mit den Ärzten mit. Sie behan-
15 deln auf ziemlich engem Raum viele Patienten. Man bekommt sehr viel zu sehen und wird auch angehalten, zu helfen. Am Nachmittag kommen nochmal zwei Stunden Theorie dazu", erzählt Michael.

Yin und Yang
Er versucht, in der kurzen Zeit ein Maximum an philosophischem und medizinischem Wissen über
20 Traditionelle Chinesische Medizin (TCM) aufzunehmen. Nicht einfach. Immerhin dauert die reguläre Ausbildung in China fünf Jahre. „Wir erfahren Wissenswertes über die verschiedenen Meridiane. Das sind die Punkte, in die man mit der Akupunkturnadel sticht", erläutert Michael. Die Medizinstudenten versuchen, ihr bisher erlerntes, naturwissenschaftlich orientiertes Krank-heitsverständnis mit der Traditionellen Chinesischen Medizin zu kombinieren. Doch das
25 Praktikum in der Ferne ist zu kurz, um eine Krankheit nach chinesischer Lehre zu diagnostizieren und behandeln zu können. Es bedarf langjähriger Erfahrung, um mit Traditioneller Chinesischer Medizin chronische Rücken- und Schulterschmerzen, Schlaganfälle, Fettleibigkeit und Asthma behandeln zu können.

Nadeln und Schröpfen

30 Professor Bai erklärt ihren europäischen Studenten das Nadeln und Schröpfen – der Dolmetscher übersetzt simultan. Einige Studenten wollen aber nicht nur lernen, sondern sich auch von Frau Bai behandeln lassen. Max aus Wien lässt sich wegen einer angeborenen Schiefstellung seiner Wirbelsäule akupunktieren.

Nach ihrer Rückkehr aus China wollen die Medizinstudenten die gewonnenen Erfahrungen weiter

35 vertiefen. Und, wenn es ihr Portemonnaie erlaubt, ein zweites Praktikum im Reich der Mitte machen, um ihr Wissen später auch in die Praxis umsetzen zu können.

DW Deutsche Welle

Quellenmaterial 2

Übersicht

Diese Tabelle zeigt das Ergebnis einer Befragung von Patienten, die an Multipler Sklerose erkrankt sind.

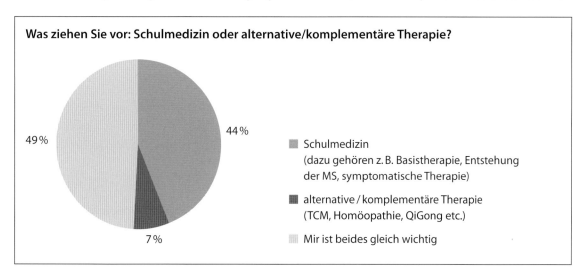

Was ziehen Sie vor: Schulmedizin oder alternative/komplementäre Therapie?

49%

44%

7%

▉ Schulmedizin
(dazu gehören z. B. Basistherapie, Entstehung der MS, symptomatische Therapie)

▉ alternative / komplementäre Therapie
(TCM, Homöopathie, QiGong etc.)

▒ Mir ist beides gleich wichtig

Quellenmaterial 3

Übersicht

🔘 *16* In diesem Hörtext beschreibt Herr Günther im Sommer 2011, wie die Kombination von Schulmedizin und alternativer Medizin sein Leben gerettet hat.

5-4 Contemporary Life – Social Customs and Values

Aufsatzthema
Sind Hunde in unserer Gesellschaft nützlich?

Quellenmaterial 1

Übersicht
In diesem Text geht es um Hunde am Arbeitsplatz und darum, wie sich ihre Anwesenheit auf die Arbeitseffektivität auswirken kann. Der ursprüngliche Artikel wurde am 8.11.2011 in der Berliner Zeitung veröffentlicht.

Auf den Hund gekommen

Hunde im Büro können sehr von Vorteil sein – und sogar die Effektivität der Mitarbeiter steigern.

Louis ist zwar bei Weitem kein Vollblutjournalist, aber recherchieren kann er dennoch beeindruckend gut. Er hat eine außerordentliche Spürnase für Dinge entwickelt, die sonst in Schubladen
5   verschwinden. Sagen wir es so: Sein Spezialgebiet sind Hundekuchen – ein Aufgabenfeld, das ihm naturgemäß liegt.

Louis ist ein Cavalier King Charles Spaniel und so etwas wie der Redaktionshund dieser Zeitung. Er ist sieben Jahre alt und drei von fünf Tagen in der Woche begleitet er sein Frauchen zur Arbeit. Er versteht Deutsch und Englisch, liegt ab und an auf den langen Fluren rum und fast jeder, der an ihm
10   vorbeigeht, hat ein Wörtchen oder eine Streicheleinheit für ihn übrig.

Rudelbildung im Büro
„Hunde am Arbeitsplatz schaffen oftmals eine bessere soziale Atmosphäre", sagt der Arbeitspsychologe Tim Hagemann, „und sie können sogar effektivitätssteigernd sein." Für den Mitarbeiter sei es eine Entlastung, sein Tier mit zur Arbeit nehmen zu können. Pausen würden durch einen
15   Hund vernünftiger genutzt, und auch für die Teambildung seien Hunde als besonderes Mitglied von Vorteil. Doch der Arbeitspsychologe merkt auch an, dass man auf Kollegen mit Tierhaarallergien oder Angst vor Hunden Rücksicht nehmen muss. Arbeitgeber sollten ihre Möglichkeit entspannt prüfen.

Nicht alle mögen Louis
20   Louis hat in seinen Redaktionsjahren gelernt, dass ihn nicht alle mögen. Sieht er betreffende Kollegen auf dem Flur, trollt er sich in das Büro seines Frauchens. Louis hat auch eine Büroliebe, Lisa, eine weiße Malteser-Lady. Mit ihren 14 Jahren ist sie eigentlich schon in Altersteilzeit, aber wenn Louis vorbeikommt, erwacht in ihr das Leben – und die beiden bringen Schwung ins Büro. Lisa hat ihr ganzes Leben in den Arbeitszimmern ihrer Besitzerin verbracht und manchen ärger-
25   lichen Redakteur durch ihre alleinige Anwesenheit befriedet, erzählt ihr Frauchen: „Ein bisschen streicheln und schon ist alles nur noch halb so schlimm." Und nicht nur das. Lisa hat an die zwanzig verschiedene Haarspangen – immer ein beliebtes Gesprächsthema.

---

30 Mittlerweile gibt es die ersten wissenschaftlichen Studien über die Vorteile eines Hundes im Büro. Der Deutsche Tierschutzbund organisiert deshalb seit fünf Jahren den Aktionstag „Kollege Hund", bei dem Mitarbeiter für einen Tag ihren Hund mit zur Arbeit bringen. So will man die gängigen Vorurteile abbauen.

35 Louis jedenfalls macht sich prächtig im Büro. Freundlich wedelt er jeden Besucher an, eine Aufmerksamkeit, die auch schon Renate Künast zuteilwurde. Doch eine Macke hat natürlich auch er: Er schnarcht. Das brachte bei Ressortsitzungen schon einen Redakteur in Verlegenheit, weil man das tiefenentspannte Brummen versehentlich ihm zuordnete.

Quellenmaterial 2

Übersicht

Diese Statistik zeigt, welche Hunderassen am häufigsten zubeißen. Sie wurde ursprünglich am 20.4.2012 in der BZ veröffentlicht.

Hundeattacken in Berlin			
Hundebisse	**2010**	**2011**	**Änderung**
Hundebisse gesamt	660	706	46 ↗
Mischling	262	226	– 36 ↘
Deutscher Schäferhund	79	85	6 ↗
Terrier	26	45	19 ↗
Rottweiler	30	30	0 →
Am. Staffordhire Terrier	6	18	12 ↗
Dobermann	8	17	9 ↗
Labrador Retriever	4	17	13 ↗
Hirtenhund	7	17	10 ↗
Dackel	12	15	3 ↗
Boxer	15	12	– 3 ↘
Golden Retriever	22	10	– 12 ↘
Bulldogge	6	10	4 ↗
Dogge	8	9	1 ↗
Gefährlicher Mischling	10	8	– 2 ↘
Dalmatiner	6	8	2 ↗
Collie	5	8	3 ↗
Spitz	5	8	3 ↗
Pitbull	4	6	2 ↗
Rhodesian Ridgeback	4	6	2 ↗
Cocker Spaniel	6	6	0 →
Schnauzer	12	5	– 7 ↘

Quellenmaterial 3

Übersicht

1 *17* In dieser Audioquelle sprechen zwei Frauen über ihre Hunde. Eine hat den Hund vom Züchter gekauft, die andere hat ihren Hund in einem Tierheim gefunden.

5-5 Personal and Public Identities – National Identity

Aufsatzthema

Kann Nationalstolz für ein Land und für die Menschen des Landes gut sein? Welche Vor- und Nachteile sehen Sie?

Quellenmaterial 1

Übersicht

Der folgende Text berichtet über das zwiespältige Verhältnis der Deutschen zu nationalen Symbolen.

Deutsches Nationalgefühl

Die Liebe zum eigenen Land und das selbstbewusste Zeigen der Landesflagge sind für viele Nationen eine Selbstverständlichkeit. In der Bundesrepublik Deutschland galt das lange Zeit nicht so. Nach dem Zweiten Weltkrieg war für viele Deutsche das Verhältnis zu Fahnen, Uniformen und anderen nationalen Symbolen aufgrund der Vergangenheit des Landes ausgesprochen schwierig. In
5 der Zeit von 1933 bis 1945 hatte die Welt erlebt, wie vom Deutschen Reich unter dem Deckmantel des Nationalismus und der Liebe zum Vaterland furchtbare Verbrechen begangen wurden. Das Bewusstsein für diese Vergangenheit führte dazu, dass das Nationalgefühl sich in Deutschland nach 1945 eher verhalten äußerte.

Als Deutschland 1990 wiedervereinigt wurde, äußerten einige Nachbarländer die Sorge, das Land
10 könnte zu einer neuen Bedrohung werden. Diese Befürchtung hat sich nicht bestätigt. In den vergangenen zwei Jahrzehnten präsentiert sich Deutschland in der Welt eher unaufgeregt, vernünftig und pragmatisch, ohne einen Nationalismus, der die Überlegenheit über andere Länder behauptet.

Dies wurde auch deutlich, als Deutschland im Jahr 2006 unter dem Motto „Die Welt zu Gast bei Freunden" zur Fußball-WM einlud. Das Land verstand sich als Gastgeber für Besucher von überall-
15 her. Im Rahmen dieses sportlichen Ereignisses wurde die Fahne der Bundesrepublik „wiederentdeckt" und von vielen Menschen freudig und selbstbewusst gezeigt. Hier äußerten sich gemeinsame Augenblicksgefühle, ein spontaner gemeinschaftlicher Stolz und der Wunsch, die deutsche Nationalmannschaft zu unterstützen. Neben dem unbeschwerten Zeigen der Fahne sangen nun auch viele Menschen vor Spielbeginn die deutsche Nationalhymne mit, was vorher nur selten der
20 Fall war. Die Nationalhymne – das „Lied der Deutschen" – war mit ihren drei Strophen 1922 in der Weimarer Republik eingeführt worden, in der Zeit des Nationalsozialismus wurde jedoch nur die erste Strophe gesungen. Trotzdem wurde das Lied 1952 wieder für die Bundesrepublik als Nationalhymne übernommen, bei offiziellen Anlässen wurde allerdings nur die dritte Strophe gesungen, die auch seit 1991 offiziell als Nationalhymne gilt.

25 So wie in anderen Ländern lässt sich auch in Deutschland leider ein Zusammenhang zwischen einem sehr stark ausgeprägten Nationalismus und fremdenfeindlichen Meinungen nachweisen. Darüber wird jedoch in der Gesellschaft diskutiert und bei der Mehrheit der Deutschen ist heute statt eines Überlegenheits-Patriotismus ein aufgeklärtes Gemeinschaftsgefühl anzutreffen.

Quellenmaterial 2

Übersicht

Die folgende Umfrage wurde im Rahmen der Veröffentlichung „ Deutsch-Sein – Ein neuer Stolz auf die Nation im Einklang mit dem Herzen: Die Identität der Deutschen" erstellt.

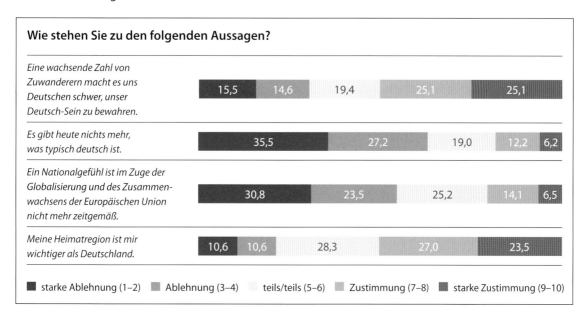

Wie stehen Sie zu den folgenden Aussagen?

Aussage	starke Ablehnung (1–2)	Ablehnung (3–4)	teils/teils (5–6)	Zustimmung (7–8)	starke Zustimmung (9–10)
Eine wachsende Zahl von Zuwanderern macht es uns Deutschen schwer, unser Deutsch-Sein zu bewahren.	15,5	14,6	19,4	25,1	25,1
Es gibt heute nichts mehr, was typisch deutsch ist.	35,5	27,2	19,0	12,2	6,2
Ein Nationalgefühl ist im Zuge der Globalisierung und des Zusammen-wachsens der Europäischen Union nicht mehr zeitgemäß.	30,8	23,5	25,2	14,1	6,5
Meine Heimatregion ist mir wichtiger als Deutschland.	10,6	10,6	28,3	27,0	23,5

■ starke Ablehnung (1–2) ■ Ablehnung (3–4) teils/teils (5–6) ■ Zustimmung (7–8) ■ starke Zustimmung (9–10)

Quellenmaterial 3

Übersicht

In diesem Hörtext spricht der Student Simon über seine Beziehung zu Deutschland und den Nationalstolz.

5-6 Families and Communities – Urban, Suburban and Rural Life

Aufsatzthema

Ziehen Sie das Leben in der Großstadt dem Leben auf dem Land vor? Warum? Warum nicht?

Quellenmaterial 1

Übersicht

Dieser Text beschreibt das Leben in der Großstadt Stuttgart. Die Stadt bietet viel Abwechslung, aber auch Ruhezonen. Der Artikel wurde am 21. Januar 2011 von der Deutschen Welle veröffentlicht.

Großstadtleben mit viel Ruhe

Große Parks, einen wunderschönen Zoo, Ballett der Weltklasse, teure Geschäfte – all das gibt es in Stuttgart. Aber Studentenkneipen? Fehlanzeige. Zum Ausgehen in Stuttgart gibt es schönere Alternativen.

Abends mit einem Wein oder Bier rauf auf den Berg. Abschalten vom Alltag, die Seele baumeln, den
5   Blick über die Stadt schweifen lassen. Das gehört in Stuttgart einfach dazu. Durch die Berghänge, die die Stadt umschließen, gibt es viele Aussichtspunkte mit schönem Panorama-Blick. Luftlinie nicht weit vom Zentrum entfernt genießen auch viele Studierende hier die Ruhe vom Stadttrubel. Hier lässt sich günstig ein schöner Abend verbringen. Denn so etwas wie Studentenkneipen mit moderaten Preisen, die gibt es in Stuttgart nicht. Die Großstadt bietet Clubs und Bars, Kneipen und
10 Cafés für jedermann. Wenn auch nicht für jeden Geldbeutel.

Mieten: nichts für die Geldbeutel der Studierenden

Stuttgart ist teuer, gerade bei den Mietpreisen. Zwar gibt es Studentenwohnheime, doch die Plätze sind knapp. Und die normalen Wohnungen sind für Studierende meist unbezahlbar oder Wohngemeinschaften nicht erwünscht. „Ich wohne nicht mehr in Stuttgart, sondern bin nach Filderstadt
15 gezogen", sagt Omid, der vor die Tore Stuttgarts gezogen ist. Viele Studierende machen es wie er und pendeln zur Uni.

Erholung im „Grünen U" und im „Maurischen Garten"

Um Ruhe zu finden, muss man die Stadt allerdings nicht verlassen. „Ich gehe gerne in den Rosensteinpark", sagt Yanling aus China. Überhaupt sind die Parks in Stuttgart etwas Besonderes. Wie ein
20 „grünes U" umschließen sie die Stadt. Von der Stadtmitte kann man vom Schlossplatz bis zu den Wäldern am Stadtrand laufen.

Lieblingsort: die Königsstraße

Aber es gibt auch Studierende, die lieber in der Innenstadt flanieren. „Ich mag die Königstraße, das ist so was wie mein Lieblingsort", sagt Mohamed. „Denn ich mag große Fußgängerzonen, wo man ein bisschen bummeln kann." Und da ist man in dieser Straße genau richtig. Hier reihen sich große, auch teure Geschäfte aneinander, Straßenkünstler geben ihr Bestes, und an Samstagen reiht sich Mensch an Mensch.

Links und rechts der Königstraße gibt es Kinos, Theater, Museen und das Opernhaus. Kulturell muss sich Stuttgart hinter keiner anderen Großstadt verstecken.

DW Deutsche Welle

Quellenmaterial 2

Übersicht

Diese beiden Bilder illustrieren einerseits das Stadtleben, andererseits das Leben auf dem Land.

Quellenmaterial 3

Übersicht

 Thomas hat auf dem Land und in der Stadt gelebt und erzählt von seinen Erfahrungen.

Introduction

The speaking portion primarily assesses your speaking abilities by asking you to respond to a question or statement as part of a simulated conversation. You will receive an outline of the conversation and a preview of the situation with the following instructions:

> → You will participate in a conversation. First, you will have 1 minute to read a preview of the conversation, including an outline of each turn in the conversation. Afterward, the conversation will begin, following the outline. Each time it is your turn to speak, you will have 20 seconds to record your response. You should participate in the conversation as fully and appropriately as possible.
>
> → *Sie nehmen an einem Gespräch teil. Zuerst haben Sie 1 Minute Zeit, um die Übersicht für das Gespräch zu lesen. Sie sehen auch einen Plan, der einen Überblick jedes Austauschs zeigt. Danach beginnt das Gespräch, welches dem Plan folgt. Jedes Mal, wenn Sie sprechen sollen, haben Sie 20 Sekunden Zeit, um Ihre Antwort aufzunehmen. Sie sollten Ihre Antworten so komplett und angemessen wie möglich gestalten.*

This part of the exam focuses on interpersonal communication which combines both speaking and listening skills. Before you start speaking, you have the opportunity to read the outline of the conversation as well as a preview of the situation.

First and foremost, it is important that you respond to prompts (questions/statements) immediately and appropriately since you will have only 20 seconds for your response. Remember, when you are being addressed formally, you have to respond using the formal voice (*Sie*), similarly when you are being addressed informally, you need to respond using the informal voice (*du*), just like in any everyday conversation. Make sure to stay in either the formal or informal voice during the whole simulation.

Don't worry about errors. If you notice an error, quickly correct yourself as you would in any conversation. It is important to be clearly understandable, so speak with confidence. Even though you will have seen a general outline of the conversation, you have to be ready to lead a comprehensive conversation. This is why you need to be able to use a variety of vocabulary and grammatical structures appropriately and accurately.

Try to be as creative as possible. Answers such as "Ich weiß nicht" or "Es ist mir egal" are unacceptable for evaluation as they do not show language competence. This part of the exam is basically nothing more than a role play between two people. Try to fully engage in the role play. It is not expected that you provide a factually "correct" answer, but you should fully participate in the conversation and demonstrate that you are able to speak and understand German with ease.

Strategies

→ Read the instructions and overview (*Übersicht*) carefully.

→ Read the directions carefully, so that you clearly understand the situation. You need to have an idea about the issue so that you can respond even if you don't understand everything you hear.

→ Pay attention to how you are addressed, is it informal or formal? Reply appropriately.

→ Put yourself into the situation.

→ Creativity is called for. Respond as if you yourself are the person described in the overview.

→ As soon as you hear the signal start with your response. Remember, you only have 20 seconds to speak.

→ Do not change the topic.

→ While you are speaking, by all means, correct yourself if you notice that you made a mistake. That is part of normal speech.

→ Stay in the given tense. There will often be questions that require past tense, for example.

→ Speak clearly and loudly enough to ensure a good recording of the conversation.

→ "Read along" with your finger.

→ Make sure that you follow the instructions exactly.

Useful Expressions

Eine Meinung ausdrücken	Express an opinion
– Ich glaube, dass …	– I believe/think that …
– Ich finde/meine, …	– I find/believe that …
– Meiner Meinung nach …	– In my opinion …
– Ich würde sagen, …	– I would say …
– Ich kann/könnte mir vorstellen, …	– I can/could imagine …
– Das scheint mir … zu sein.	– It seems to me …
– Es scheint mir, dass …	– It seems to me that …
– Es ist eine Tatsache, dass …	– It is a fact that …
– Ich weiß nichts Genaueres, aber …	– I don't know exactly, but …
– Ich habe den Eindruck, dass …	– I got the impression that …
– Es stimmt einfach nicht, dass …	– It is just not right that …
– Aber davon kann keine Rede sein.	– That is out of the question.
– Ich sehe das (Problem) anders: …	– I see that differently: …
– Ich halte das für falsch.	– I think that is wrong.
– Ich weiß nicht, ob …	– I don't know if …
– Ich bin mir nicht ganz sicher.	– I am not quite sure.
– Ich bezweifle das.	– I doubt that.
– Das lehne ich ab, weil …	– I reject that because …
– Dem stimme ich nicht zu, weil …	– I disagree with that because …

Eine Meinung ausdrücken | Express an opinion

Eine Meinung ausdrücken	Express an opinion
– Auf gar keinen Fall.	– Absolutely not.
– Das stimmt nicht.	– That is wrong.
– Sicher nicht.	– Surely not.
– Das gibt's doch nicht.	– That is impossible.
– Das ist unmöglich.	– That is impossible.
– Ich bin anderer Meinung.	– I have a different opinion.
– Ich ziehe … vor.	– I prefer …
– Ich finde … besser als …	– I find … better than.
– Ich denke, dass … schöner ist.	– I think that … is nicer.
– Mir gefällt das besser, weil …	– I like that better because …

Zustimmen mit Einschränkung	Agree but with reservations
– Ja, aber …	– Yes, but …
– Natürlich, aber …	– Of course, but …
– Es kommt darauf an.	– It all depends.
– Das hört sich gut an, aber …	– That sounds good, but …
– Das mag sein, aber …	– That may be, but …
– Wenn ich Sie/dich richtig verstehe, …	– If I understand you correctly …

Zustimmen	Agree
– Ja, das stimmt, weil …	– Yes, that's right because …
– Ich halte das für richtig, weil …	– I think that is right because …
– Sie haben / Du hast Recht, weil …	– You are right because …
– Damit bin ich einverstanden.	– I agree with that.
– Das ist richtig.	– That is right.
– Ich teile Ihre/deine Auffassung.	– I share your opinion.

Überraschung ausdrücken	Express surprise
– Echt!	– Really!
– Ernsthaft?	– Seriously?
– Wirklich?	– Really?
– Stimmt das?	– Is that right?
– Stell' dir das mal vor!	– Imagine that!
– Das gibt es doch nicht!	– Impossible!
– Ich glaube das nicht! / Das glaube ich nicht!	– I don't believe it/that!
– Das ist komisch.	– That is strange.

Prüfungstraining | AP® German Language and Culture | © 2013 Cornelsen Schulverlage GmbH, Berlin. Alle Rechte vorbehalten.

Eine Alternative vorschlagen	Suggest an alternative
– Haben Sie / Hast du schon daran gedacht …?	– Have you thought about that already?
– Denken Sie / Denkst du nicht, dass …?	– Don't you think that …?
– Was halten Sie / hältst du von …?	– What do you think about …?
– … wäre besser als …	– … would be better than …

Um Zeit zum Nachdenken bitten	Ask for time to reflect
– Einen Augenblick. Darüber muss ich nachdenken.	– Give me a minute. I have to think about that.
– Einen Moment, bitte.	– One moment, please.
– Das ist eine gute Frage. Darüber muss ich nachdenken.	– That's a good question. I have to think about that.

Wichtige Verben	Important verbs
– ablehnen	– to reject
– begrüßen	– to greet, to welcome
– beschreiben	– to describe
– bestätigen	– to affirm
– danken	– to thank
– erwähnen	– to mention
– halten von	– to think of
– kommentieren	– to comment on
– mitteilen	– to share
– verabschieden	– to say goodbye
– verneinen	– to negate
– vorschlagen	– to suggest
– wiederholen	– to repeat
– zustimmen	– to agree

6-1 Global Challenges – Environmental Issues

Sie haben 1 Minute Zeit, um die Übersicht zu lesen.

Übersicht

Sie sind ein Schüler / eine Schülerin, der/die an Landwirtschaft interessiert ist. Sie sind nach Deutschland gekommen, um mehr über ökologischen Anbau und biologische Produkte zu erfahren. Sie führen deshalb ein Gespräch mit Frau Schröder, einer Öko-Bäuerin, während Sie ihren Hof besichtigen.

Frau Schröder	begrüßt Sie und stellt Fragen.
Sie	reagieren auf die Fragen.
Frau Schröder	spricht über ihren Betrieb und stellt eine Frage.
Sie	beantworten die Frage.
Frau Schröder	stellt Ihnen eine Frage.
Sie	beantworten die Frage.
Frau Schröder	erzählt über ein zukünftiges Projekt auf ihrem Öko-Bauernhof und stellt eine Frage.
Sie	reagieren auf das, was sie sagt.
Frau Schröder	stellt eine Frage.
Sie	beantworten die Frage und bedanken sich.

6-2 Beauty and Aesthetics – Visual Arts

Sie haben 1 Minute Zeit, um die Übersicht zu lesen.

Übersicht

Sie sprechen mit Herrn Kornmann, der an der Kasse der Neuen Nationalgalerie in Berlin arbeitet. Sie sind Kunststudent/in, kommen aus den USA und möchten das Museum besuchen. Sie haben großes Interesse an deutschen Künstlern, besonders an Emil Nolde (1867–1956), einem bekannten deutschen Maler des Expressionismus.

Herr Kornmann	begrüßt Sie und stellt eine Frage.
Sie	begrüßen ihn, stellen sich vor, und sprechen über Ihre Interessen.
Herr Kornmann	reagiert auf Ihre Frage.
Sie	bedanken sich und fragen nach dem Preis einer Eintrittskarte.
Herr Kornmann	reagiert.
Sie	sagen Herrn Kornmann, dass Sie eine Eintrittskarte kaufen wollen, und dann fragen Sie, wo man zusätzliche Informationen über das Museum bekommen kann.
Herr Kornmann	reagiert auf Ihre Fragen und stellt eine Frage.
Sie	bejahen die Frage und möchten den Preis wissen. Erklären Sie auch, dass Sie nicht sehr viel Geld bei sich haben.
Herr Kornmann	beantwortet Ihre Frage und gibt Ihnen weitere Informationen.
Sie	beantworten Herrn Kornmanns Frage. Dann fragen Sie nach dem Weg zum Museumsladen und erkundigen sich nach Öffnungszeiten am Abend, wenn es nicht so voll ist.

6-3 Contemporary Life – Entertainment, Travel and Leisure

Sie haben 1 Minute Zeit, um die Übersicht zu lesen.

Übersicht

Sie führen ein Telefongespräch mit Ihrem guten Freund Sven, weil Sie mit ihm verreisen wollen.

Sven	stellt Ihnen eine Frage.
Sie	antworten ihm positiv und fragen nach der Dauer der Reise und dem möglichen Reiseziel.
Sven	spricht über ein mögliches Reiseziel.
Sie	reagieren auf seine Frage, lehnen aber seinen Vorschlag ab.
Sven	bittet um einen anderen Vorschlag.
Sie	reagieren und schlagen aus Preisgründen Ferien an der Ostsee vor.
Sven	nimmt den Vorschlag an und stellt eine zusätzliche Frage.
Sie	reagieren auf die Frage.
Sven	stimmt mit Ihnen überein und stellt eine letzte Frage.
Sie	beantworten Svens Frage und verabschieden sich.

6-4 Families and Communities – Diversity

Sie haben 1 Minute Zeit, um die Übersicht zu lesen.

Übersicht

Sie führen ein Gespräch mit Ihrem Vater, weil er nicht will, dass Sie abends lange mit Ihren Freunden Felix und Rasim ausgehen.

Vater	stellt Ihnen zwei Fragen.
Sie	antworten ihm.
Vater	bittet um weitere Informationen.
Sie	erklären, warum Sie mit Felix und Rasim befreundet sind.
Vater	ist besorgt über die mögliche Reaktion der Nachbarn.
Sie	nehmen Stellung zu seiner Meinung.
Vater	macht einen Vorschlag und stellt eine Frage.
Sie	reagieren positiv auf den Vorschlag.
Vater	präzisiert seinen Vorschlag.
Sie	stimmen zu und schlagen einen Termin vor.

6-5 Families and Communities – Family Structure

Sie haben 1 Minute Zeit, um die Übersicht zu lesen.

Übersicht

Sie unterhalten sich mit Ihrer Freundin Friederike in der Schulpause. Friederike lebt in einer Patchwork-Familie. Friederikes Eltern haben beide wieder geheiratet: Der Vater hat eine Frau mit drei Kindern geheiratet und die Mutter einen Mann mit einem Kind.

Friederike	begrüßt Sie und stellt eine Frage.
Sie	reagieren auf die Frage.
Friederike	erzählt über ihre Familie und stellt eine Frage.
Sie	beantworten die Frage.
Friederike	erzählt von einer anderen Familie.
Sie	reagieren.
Friederike	spricht über Vorteile und stellt eine Frage.
Sie	erzählen ihr von Ihrer Situation.
Friederike	stellt eine Frage.
Sie	beantworten die Frage und verabschieden sich.

6-6 Science and Technology – Personal Technologies

Sie haben 1 Minute Zeit, um die Übersicht zu lesen.

Übersicht

Dies ist ein Gespräch mit Ihrer Großmutter, die Ihnen für Ihr Studium ein elektronisches Gerät kaufen will. Ihre Großmutter kennt sich mit der Elektronik nicht so gut aus. Sie möchte Ihnen etwas kaufen, was Sie viele Jahre benutzen können.

Großmutter	begrüßt Sie und stellt eine Frage.
Sie	freuen sich und schlagen mindestens drei Geräte vor, die zurzeit auf dem Markt sind.
Großmutter	erzählt von sich und stellt eine Frage.
Sie	beantworten die Frage genau.
Großmutter	reagiert und macht einen Vorschlag.
Sie	nehmen den Vorschlag an und erklären ihr, welche Geräte in Frage kommen.
Großmutter	fragt nach einer Begründung für Ihre Wahl.
Sie	erklären Ihre Wahl.
Großmutter	stellt eine Frage.
Sie	beantworten die Frage und bedanken sich im Voraus für das Geschenk.

6-7 Personal and Public Identities – Stereotypes

Sie haben 1 Minute Zeit, um die Übersicht zu lesen.

Übersicht

Eine Bekannte, Frau Temme, hat vor, nach Deutschland zu reisen, aber sie weiß sehr wenig über die Sprache und Kultur des Landes. In diesem Gespräch geben Sie ihr Informationen über Deutschland und helfen ihr, einige Stereotype zu überwinden.

Frau Temme	begrüßt Sie und erzählt von ihren Plänen.
Sie	freuen sich und fragen, wohin sie reisen will.
Frau Temme	stellt eine Frage.
Sie	beantworten die Frage.
Frau Temme	stellt eine Frage.
Sie	beantworten die Frage.
Frau Temme	spricht über ihre Pläne und Befürchtungen.
Sie	beruhigen Frau Temme und erklären die Situation.
Frau Temme	stellt eine Frage.
Sie	beantworten die Frage.

6-8 Personal and Public Identities – National Identity

Sie haben 1 Minute Zeit, um die Übersicht zu lesen.

Übersicht

Sie sprechen mit Leonie, einer deutschen Austauschschülerin, die für ein Jahr an Ihrer High School ist. Leonie hat bemerkt, dass Amerikaner oft sehr stolz auf ihre Nationalität sind.

Leonie	begrüßt Sie und stellt Fragen.
Sie	beantworten die Fragen und möchten wissen, wie es in Deutschland ist.
Leonie	erzählt von Deutschland und stellt eine Frage.
Sie	beantworten die Frage.
Leonie	reagiert und stellt eine Frage.
Sie	beantworten die Frage und geben ein paar Beispiele.
Leonie	stellt weitere Fragen.
Sie	beantworten die Fragen.
Leonie	stellt eine letzte Frage.
Sie	beantworten die Frage und verabschieden sich.

6-9 Science and Technology – Healthcare and Medicine

Sie haben 1 Minute Zeit, um die Übersicht zu lesen.

Übersicht

Es ist Wochenende. Sie haben furchtbare Zahnschmerzen und haben den Zahnarzt Dr. Krone angerufen. Er hilft Ihnen und bittet Sie, in seine Praxis zu kommen. Dies ist ein Gespräch mit Dr. Krone in seiner Praxis.

Dr. Krone	stellt sich vor und fragt nach Informationen.
Sie	geben die Informationen.
Dr. Krone	bietet an, Sie zu untersuchen, und stellt Fragen.
Sie	reagieren.
Dr. Krone	macht einen Vorschlag zur Behandlung und stellt eine Frage.
Sie	antworten auf seinen Vorschlag.
Dr. Krone	bietet eine Lösung an und stellt Fragen.
Sie	reagieren auf die Fragen.
Dr. Krone	bietet zusätzliche Hilfe und einen Termin an.
Sie	schlagen einen Termin vor, bedanken sich und verabschieden sich.

6-10 Families and Communities – Urban, Suburban and Rural Life

Sie haben 1 Minute Zeit, um die Übersicht zu lesen.

Übersicht

Sie wohnen mit Ihrer Mutter in einem kleinen Dorf in Hessen ungefähr zwei Stunden von Frankfurt entfernt. Ihre Mutter hat eine neue Arbeit in Frankfurt gefunden und möchte jetzt vom Land in die große Stadt ziehen. Sie sprechen mit Ihrer Mutter darüber.

Mutter	erklärt Ihnen die neue Situation.
Sie	wollen mehr über die neue Stelle wissen.
Mutter	erzählt über die neue Stelle, erklärt die möglichen Folgen ihrer Entscheidung und stellt eine Frage.
Sie	reagieren auf die Frage.
Mutter	kommentiert und fragt nach Ihrer Meinung.
Sie	äußern Ihre Meinung dazu.
Mutter	stimmt zu und macht einen Vorschlag.
Sie	reagieren positiv.
Mutter	teilt ihre Entscheidung mit.
Sie	stimmen zu und gratulieren Ihrer Mutter.

Introduction

In this part you will be asked to give a 2-minute presentation, in which you compare cultural issues in German-speaking countries with those in your own community. You will see the following instructions:

> → You will make an oral presentation on a specific topic to your class. You will have 4 minutes to read the presentation topic and prepare your presentation. Then you will have 2 minutes to record your presentation. In your presentation, compare your own community to an area of the German-speaking world with which you are familiar. You should demonstrate your understanding of cultural features of the German-speaking world. You should also organize your presentation clearly.
>
> → *Sie halten vor Ihrer Klasse einen Vortrag über ein bestimmtes Thema. Sie haben 4 Minuten Zeit, um das Vortragsthema zu lesen und Ihren Vortrag vorzubereiten. Dann haben Sie 2 Minuten Zeit, um Ihren Vortrag aufzunehmen. In Ihrem Vortrag vergleichen Sie Ihr eigenes soziales Umfeld mit einer Gegend der deutschsprachigen Welt, mit der Sie bekannt sind. Sie sollen Ihr Verständnis der kulturellen Eigenschaften der deutschsprachigen Welt beweisen. Sie sollten Ihren Vortrag übersichtlich gliedern.*

Strategies

Preparation (4 minutes)

- → It is vital that you read the complete prompt carefully.
- → Collect your ideas and organize them utilizing a word web, Venn diagram, or t-chart.
- → Create an outline of your presentation.
- → Think of examples and details supporting your statements.
- → Incorporate the expressions you have learned that are relevant to the topic.

During the presentation (2 minutes)

- → Speak loudly and clearly, and pace your presentation.
- → If you realize you made a mistake, feel free to correct it.
- → If you get stuck, go on to the next point in your outline.
- → Don't change tense, unless called for.
- → Try to fill the 2 minutes, keep talking but make sure you stick to the topic.
- → Make sure you pay attention to the parts of a presentation as outlined on pages 105 and 106.

Prüfungstraining | AP® German Language and Culture | © 2013 Cornelsen Schulverlage GmbH, Berlin. Alle Rechte vorbehalten.

Structure and Useful Expressions

1. Einführung/Introduction

Begrüßung	Greeting
- Liebe Freunde,	- Dear friends,
- Liebe Mitschülerinnen und Mitschüler,	- Dear fellow students,
- Sehr geehrte Damen und Herren,	- Ladies and Gentlemen,

Thema	Topic
- Das Thema meines Vortrags lautet: …	- The topic of my presentation/talk is: …
- Ich möchte (Ihnen) heute berichten, dass …	- Today I would like to talk (to you) about …
- Ich möchte nun von … berichten.	- Now I would like to report about …
- Ich möchte einiges zum Thema … sagen: …	- I would like to say several things about …
- Ich spreche heute zu dem / über das Thema …	- Today I am speaking about the subject …
- In meinem Vortrag geht es um …	- My presentation deals with …

Gliederung der Präsentation	Outline the presentation
- Ich habe meinen Vortrag in zwei/drei Teile gegliedert: …	- I've divided my presentation into two/three parts: …
- Mein Vortrag besteht aus zwei/drei Teilen: …	- My presentation consists of two/three parts: …
- Zuerst / Zunächst / Als Erstes spreche ich über …, dann komme ich zu …, abschließend …	- First I will speak about …, then I will come to …, finally …
- Im ersten Teil spreche ich über … Im zweiten Teil wende ich mich … zu.	- In the first part, I will talk about … In the second I'll turn to …
- Ich beginne mit …	- I'll start with …
- Abschließend / Zuletzt / Am Ende möchte ich …	- After that / Lastly / In conclusion I would like …

2. Hauptteil/Body

Die Rede strukturieren	Structure your speech
- Als Erstes wäre hier … zu nennen.	- As a first point, it should be mentioned …
- Außerdem / Ebenso / Ebenfalls / Des Weiteren …	- In addition / Similarly / As well / Adding to that …
- Besonders betont werden muss, dass …	- It must be explicitly stated that …
- Ein weiterer Aspekt/Gesichtspunkt ist …	- An additional aspect / point of view is …
- Ferner sollte ich erwähnen, dass …	- In addition I should mention that …
- (In diesem Zusammenhang) nicht zu vergessen ist …	- (In this context) it shouldn't be forgotten that …
- Noch wichtiger ist …	- Even more important is …
- Vor allem aber …	- But above all …

Beispiele anführen / veranschaulichen	Mention / illustrate examples
– Hierzu ein Beispiel: … – Ich kann das mit einigen Beispielen belegen: … – Ich erwähne in diesem Zusammenhang nur das Beispiel … – Ich nenne hier … – Stellen Sie sich einmal Folgendes vor: …	– For example: … – I can prove that with several examples: … – In this context I will only mention the/an example … – Here I can mention … – Imagine the following …

Vergleichen und gegenüberstellen	Compare and contrast
– Auf der einen Seite …, auf der anderen Seite … / Einerseits …, andererseits … – Demgegenüber steht allerdings … – Die einen sind dafür, dass … Die anderen lehnen … ab, weil … – Im Gegensatz/Vergleich/Unterschied zu … – … (Name) (hingegen) argumentiert, dass …	– On the one hand …, on the other hand … – However in contrast to that … – Some are in favor of … Others reject that because … – In contrast/comparison to … – … (name) (however) argues that …

3. Schluss/Closing

Zusammenfassung/Schlussfolgerung	Summary/Conclusion
– Ich fasse zusammen: Sie haben / Ihr habt gesehen, dass … – Zusammenfassend möchte ich sagen, dass … – Zusammenfassend komme ich zu dem Ergebnis, dass … – Abschließend lässt sich sagen, dass …	– To summarize, you have seen, that … – To summarize, I would like to say that … – To summarize, I arrive at the conclusion that … – Finally, it is possible to say that …

Abschluss	Wrap-up
– Ich danke Ihnen/euch für Ihre/eure Aufmerksamkeit. – Vielen Dank fürs Zuhören / für Ihre/eure Aufmerksamkeit. – Damit bin ich am Ende meines Vortrags / meiner Präsentation. – Ich möchte mich ganz herzlich für Ihre/eure Aufmerksamkeit bedanken.	– Thank you for your attention. – Thanks for listening / your attention. – With that I am finished with my report / my presentation. – I would like to thank you for your attention.

How to organize your thoughts

Use this Venn-diagram to help you to organize your thoughts for your presentation. Collect ideas to describe the cultural differences between the German-speaking country and your own. Also list the similarities.

You can also use this t-chart to contrast the conditions in your community with those in the German-speaking world.

... in meinem Land	... in den deutschsprachigen Ländern
...	...

Topics

7-1 Global Challenges – Environmental Issues

Thema des Vortrags:

Mülltrennung wird heutzutage immer wichtiger. Es gibt Container für Glas, Papier und Biomüll. Was tragen Sie und die Menschen in Ihrer Umgebung zur Mülltrennung bei? Was machen die Menschen in den deutschsprachigen Ländern? Sie können in Ihrem Vortrag Beobachtungen, Erfahrungen oder das, was Sie gelernt haben, beschreiben.

7-2 Personal and Public Identity – National Identity

Thema des Vortrags:

Wie werden Migranten bei Ihnen und in den deutschsprachigen Ländern integriert? Sie können in Ihrem Vortrag Beobachtungen, Erfahrungen oder das, was Sie gelernt haben, beschreiben.

7-3 Contemporary Life – Education and Career

Thema des Vortrags:

In den deutschsprachigen Ländern gehen immer mehr Schüler auch am Nachmittag zur Schule. Wie stehen Sie dazu und wie ist es bei Ihnen? Sie können in Ihrem Vortrag Beobachtungen, Erfahrungen oder das, was Sie gelernt haben, beschreiben.

7-4 Contemporary Life – Social Customs and Values

Thema des Vortrags:

Gesundes Essen ist sehr wichtig. In den deutschsprachigen Ländern gibt es viele Märkte, auf denen die Menschen täglich frisches Obst und Gemüse kaufen können. Wo kauft man frisches Gemüse und Obst in Ihrer Umgebung? Inwieweit ist Einkaufen für Sie anders als in den deutschsprachigen Ländern? Sie können in Ihrem Vortrag Beobachtungen, Erfahrungen oder das, was Sie gelernt haben, beschreiben.

7-5 Contemporary Life – Entertainment, Travel and Leisure

Thema des Vortrags:

Autofahren ist für viele Jugendliche ein Zeichen der Freiheit. Vergleichen Sie, wann und wie man in deutschsprachigen Ländern und den USA zum Beispiel den Führerschein erhält und wie sich das Autofahren unterscheidet. Sie können in Ihrem Vortrag Beobachtungen, Erfahrungen oder das, was Sie gelernt haben, beschreiben.

7-6 Beauty and Aesthetic – Architecture

Thema des Vortrags:

In vielen kleineren Städten und Dörfern deutschsprachiger Länder sind die Kirche und der Marktplatz das Herz der Stadt und oftmals ist die Kirche das höchste Gebäude. Wie unterscheidet sich die Architektur in Ihrem Wohnort davon? Welche Vor- und Nachteile könnte die jeweilige Architektur bringen? Sie können in Ihrem Vortrag Beobachtungen, Erfahrungen oder das, was Sie gelernt haben, beschreiben.

7-7 Families and Communities – Diversity

Thema des Vortrags:

Kleider machen Leute, sagte schon Gottfried Keller. Deutsche werden oft mit Dirndl und Lederhose dargestellt. Aber ziehen sich die Menschen in den deutschsprachigen Ländern wirklich so an? Und gibt es Bekleidung, die typisch für die USA ist? Was sagt die Kleidung über einen Menschen aus? Sie können in Ihrem Vortrag Beobachtungen, Erfahrungen oder das, was Sie gelernt haben, beschreiben.

7-8 Science and Technology – Healthcare and Medicine

Thema des Vortrags:

Alle Menschen in den deutschsprachigen Ländern müssen krankenversichert sein. Welche Gemeinsamkeiten und Unterschiede gibt es in Bezug auf ärztliche Versorgung und Krankenversicherung in Ihrem Land und in den deutschsprachigen Ländern? Sie können in Ihrem Vortrag Beobachtungen, Erfahrungen oder das, was Sie gelernt haben, beschreiben.

7-9 Personal and Public Identities – National Identity

Thema des Vortrags:

Wie wird Höflichkeit durch Sprache, Gesten und anderes Verhalten in Ihrem Land im Vergleich zu den deutschsprachigen Ländern gezeigt? Sie können in Ihrem Vortrag Beobachtungen, Erfahrungen oder das, was Sie gelernt haben, beschreiben.

7-10 Contemporary Life – Entertainment, Travel and Leisure

Thema des Vortrags:

Weltweit begeistern sich viele Menschen für Sport. Für welche Sportarten begeistern sich Menschen in Ihrem Land und für welche begeistern sie sich in den deutschsprachigen Ländern? Welche Effekte kann Sport oder ein Sportereignis auf die Leute in einem Land haben? Sie können in Ihrem Vortrag Beobachtungen, Erfahrungen oder das, was Sie gelernt haben, beschreiben.

8 Practice Exam

Section I – Multiple Choice

Overview Section I

Altogether you will have about 1 hour and 35 minutes to finish answering 65 multiple-choice questions. There are two parts, Part A, where you will encounter texts and *Schaubilder* and answer a total of 30 multiple-choice questions. This part will take about 40 minutes.

In Part B you will have different types of materials, texts and audio and answer 35 multiple-choice questions. For this part you will have about 55 minutes.

Please put your answers here:

No.	Answer	No.	Answer	No.	Answer
1.		23.		45.	
2.		24.		46.	
3.		25.		47.	
4.		26.		48.	
5.		27.		49.	
6.		28.		50.	
7.		29.		51.	
8.		30.		52.	
9.		31.		53.	
10.		32.		54.	
11.		33.		55.	
12.		34.		56.	
13.		35.		57.	
14.		36.		58.	
15.		37.		59.	
16.		38.		60.	
17.		39.		61.	
18.		40.		62.	
19.		41.		63.	
20.		42.		64.	
21.		43.		65.	
22.		44.			

110   Prüfungstraining | AP® German Language and Culture | © 2013 Cornelsen Schulverlage GmbH, Berlin. Alle Rechte vorbehalten.

Interpretive Communication: Print Texts

Time – 40 minutes

→ You will read several selections. Each selection is accompanied by a number of questions. For each question, choose the response that is best according to the selection and mark your answer on your answer sheet.

→ *Sie werden im folgenden Teil verschiedene Texte lesen. Nach jeder Auswahl folgen einige Fragen. Wählen Sie für jede Frage die beste Antwort für diese Textauswahl und markieren Sie Ihre Antwort auf dem Antwortbogen!*

Auswahl 1

Thema: Schönheit und Ästhetik – Sprache und Literatur

Übersicht

In dem folgenden Text geht es um die Wahl des Jugendwortes des Jahres 2011. Der Artikel erschien im Dezember 2011 in der Berliner Morgenpost.

„Swag" ist das Jugendwort des Jahres 2011

Entwarnung für alle Eltern: Sollte ein Teenager das Wort „Swag" benutzen, muss man ihn nicht gleich zur Drogenberatung zerren. Erstrebenswert ist der Zustand trotzdem.

Das Jugendwort des Jahres lautet „Swag". Der Begriff wurde mittels 40.000 Stimmen von Internetnutzern und unter Beteiligung einer Jury ermittelt. Die jugendlichen Jurymitglieder und ihre
5 journalistischen Kollegen beeindruckte die schnelle und riesige Verbreitung des aus dem US-Amerikanischen stammenden Wortes.

„Swag" war Ende vorigen Jahres durch ein Lied des österreichischen Rappers Money Boy bekannt geworden, dessen Video zu „Dreh den Swag auf" auch bei YouTube 14 Millionen Mal geklickt wurde.
10 Der Begriff steht für eine „beneidenswerte, lässig-coole Ausstrahlung" sowie eine „charismatisch-positive Aura". Er wird nach Aussage der jugendlichen Jurymitglieder ganz allgemein auch gern ironisch gebraucht, etwa wenn ein sichtbar unausgeschlafener Junge sagt: „Ich habe heute vergessen, den Swag" aufzudrehen.

„Swag" landete auf Platz 1 knapp vor „Fail/ Epic Fail" für grober Fehler bzw. Versagen. Den dritten
15 Platz belegt „guttenbergen" für Abschreiben, „Körperklaus" – eine Wortneuschöpfung für Tollpatsch und Grobmotoriker – sicherte sich Platz 4 und „googeln" für suchen, allerdings nicht nur im Internet, sondern auch beispielsweise in einem Lexikon, schließt die Top Five ab.

Rund 40.000 Interessierte wählten im Internet auf www.jugendwort.de sowie auf der Jugendmesse „YOU" in Berlin aus den 30 zur Wahl stehenden Begriffen die Top 15 für die Jurysitzung für das
20 Jugendwort des Jahres 2011.

Insgesamt wurden circa 3000 neue Begriffe eingereicht. Bereits zum vierten Mal wurde unter anderem von der Jugendzeitschrift „Spiesser" und erstmals mit der Jugendmesse zur Wahl des Jugendwortes des Jahres aufgerufen.

Die Top Five der Jugendwörter 2011 im Überblick:
25   1.) Swag   2.) Fail/ Epic Fail   3.) guttenbergen   4.) Körperklaus   5.) googeln

Die Meinung der Jury, der auch Morgenpost Online-Redakteur Matthias Heine als Experte für Sprachthemen angehörte, war in diesem Jahr erstmals deckungsgleich mit der der Internet-Voter. Bei der Internetabstimmung legte „Swag" quasi einen Start-Ziel-Sieg hin.

„Swag" kommt ursprünglich aus dem Song „Turn my swag on" des amerikanischen Rappers Soulja
30 Boy. In Deutschland, Österreich und der Schweiz erlangte der Begriff große Bekanntheit durch Money Boys Coverversion.

1. **Der Artikel berichtet über ...**

   A 40.000 Menschen, die Wörter eingereicht haben.

   B das neue „Jugendwort des Jahres 2011": guttenbergen.

   C die Initiative „Jugendwort des Jahres".

   D die Jugendzeitschrift YOU.

2. **Der Artikel wurde für ...**

   A Leser geschrieben, die online sind.

   B Leser geschrieben, die sich für das Jugendwort des Jahres interessieren.

   C Jugendliche geschrieben.

   D Menschen geschrieben, die bei dem Jugendmagazin „Spiesser" arbeiten.

3. **Die Entscheidung für das „Jugendwort des Jahres" wurde ...**

   A von einer Jury und einem Jugendmagazin getroffen.

   B mit den Stimmen von 40.000 Internetnutzern und mithilfe einer Jury getroffen.

   C von Soulja Boy und Money Boy getroffen.

   D von Matthias Heine und Guttenberg getroffen.

4. **Im Jahr 2011 wurde die Initiative erstmals auch von der Jugendmesse _____ unterstützt.**

   A BRAVO

   B HARTZ

   C SPIESSER

   D YOU

5. **Das Jugendwort des Jahres 2011 war ...**

   A ein englisches Wort.

   B ein deutsches Wort.

   C googeln.

   D Körperklaus.

6. **Was bedeutet „Swag" ungefähr?**

   A abschreiben

   B Tollpatsch

   C Fehler

   D lässig-coole Ausstrahlung

7. **2011 wurden _____ Wörter eingereicht.**

   A 15

   B 3.000

   C 30

   D 40.000

Auswahl 2

Thema: Alltag – Jugendkultur

Übersicht

In diesem Text geht es um jugendliche Internet-User mit unterschiedlichem Bildungshintergrund. Der leicht gekürzte Artikel wurde 2011 in Deutschland auf Spiegel online veröffentlicht.

Soziale Spaltung im Netz: „Ich will keine Asis als Freunde"

Wenn Zoe ins Internet will, muss sie sich Zuhause an den Familiencomputer im Flur setzen. Die 13-Jährige darf täglich eine Stunde ins Netz. Am häufigsten ist Zoe auf SchülerVZ. Dort hat die Realschülerin nach eigenen Angaben 300 bis 400 Freunde. Dabei lehnt sie auch viele Freundschaftsanfragen ab. „Ich will nicht, dass die asozialen Typen meine Bilder sehen", sagt sie. „Die könnten die
5   sonst kopieren." Für asozial hält sie jemanden, der zum Beispiel eine schlechte Wohnung hat. „Bei Freundschaftsanfragen erkennst du am Namen und am Bild, ob die asozial sind. Oft sind die von der Hauptschule." Zoe hat im Sommer schlechte Erfahrungen mit Hauptschülern gemacht. „Das heißt aber nicht, dass alle Hauptschüler asozial sind", betont Zoe.
Asis oder Asoziale – diese Begriffe fallen häufig, wenn man sich mit Jugendlichen unterhält.
10 Manchmal sind sie nur als Schimpfworte dahergesagt, manchmal bringen sie eine bewusste Abgrenzung von sozial Schwächergestellten zum Ausdruck.

Wer benutzt welche Medien?
Laut der Studie „Jugend, Information, (Multi-)Media" (JIM) des Medienpädagogischen Forschungsverbundes Südwest gibt es 2010 keine nennenswerten Unterschiede mehr beim reinen Internet-
15 zugang: 98 Prozent aller Schüler sind online, unabhängig von ihrem Bildungsstand. Deutlich größere Unterschiede zeichnen sich aber beim Zugang zu anderen Medien ab: Während die Haushalte, in denen Gymnasiasten leben, zu 69 Prozent über ein Tageszeitungs-Abo bzw. zu 53 Prozent über ein Zeitschriften-Abo verfügen, liegen diese Zahlen bei Hauptschülern bei 46 Prozent bzw. 36 Prozent. Allein bei Spielkonsolen und Abo-Fernsehen hängen die Haushalte mit Haupt- und
20 Realschülern die Gymnasiasten in Sachen Ausstattung ab.
Entsprechend fächern sich auch die Nutzungsmuster zwischen den verschiedenen Schultypen auf: Laut JIM-Studie nutzen Jugendliche mit einem höheren Bildungsgrad häufiger das Internet, Tageszeitungen, MP3-Player und Bücher. Jugendliche mit einem niedrigeren Bildungsniveau schauen dagegen häufiger Fernsehen, nutzen das Handy stärker und spielen öfter Computer- und
25 Konsolenspiele.

---

8.   **Was ist die Funktion des ersten Absatzes des Artikels?**

    A Er stellt Zoes Meinung vor.

    B Er beschreibt gegensätzliche Standpunkte.

    C Er behandelt Quellen des Artikels.

    D Er gibt einen Überblick über den Artikel.

9. **Was bedeutet wohl das Wort „Asi"?**

   A Es sind Zoes Freunde im Internet.

   B Es ist ein negativer Ausdruck für sozial Schlechtergestellte.

   C Es sind Gymnasiasten.

   D Es sind alle Internet-User.

10. **Wer ist für Zoe ein „Asozialer"?**

   A Jemand, der keine Bücher zu Hause hat

   B Jemand, der mit ihr befreundet sein will

   C Jemand, der eine aus ihrer Sicht minderwertige Wohnung hat

   D Jemand, der ein Hauptschüler ist

11. **Was ist das Ergebnis der JIM-Studie für das Jahr 2010?**

   A Gymnasiasten sind häufiger online als Haupt- und Realschüler.

   B Alle Schüler nutzen dieselben Medien.

   C Der Bildungshintergrund hat keinen Einfluss darauf, ob Jugendliche online sind.

   D Haupt- und Realschüler sind häufiger online als Gymnasiasten.

12. **Wofür könnte die Abkürzung „SchülerVZ" stehen?**

   A Schülervorzüglich

   B Schülerverzweigung

   C Schülervorzeichnen

   D Schülerverzeichnis

13. **Welches Medium benutzen Hauptschüler häufiger als Gymnasiasten?**

   A Tageszeitung

   B Handy

   C MP3-Player

   D Internet

14. **Wie viele Schüler haben Internetzugang?**

   A 69 Prozent

   B 53 Prozent

   C 98 Prozent

   D 36 Prozent

15. **Sie haben die Aufgabe bekommen, einen Aufsatz zum Thema des Artikels zu schreiben. Welches Buch würden Sie für diesen Aufsatz in Ihre Bibliographie aufnehmen?**

   A Der soziale Hintergrund jugendlicher Internet-User

   B Computerspiele für die Jugend

   C Bildungsferne Jugendliche und ihre Umgebung

   D Jugendliche im Internet: Mailen, chatten, Musik hören

Auswahl 3

Thema: Naturwissenschaft und Technologie – Computer als neues Medium

Übersicht

Diese Grafik über Online Shopping wurde 2007 nach Angaben des Statistischen Bundesamts von GLOBUS veröffentlicht.

16. **Was zeigt die Grafik?**
    A Wie viel Zeit Verbraucher im Internet verbringen
    B Was von wem online gekauft wird
    C Wofür Senioren das Internet nutzen
    D Warum Jüngere gern online einkaufen

17. **Was wird laut dieser Grafik am meisten im Internet gekauft?**
    A Musik und Filme
    B Reisen, Hotels, Flug- und Bahntickets
    C Bücher, Magazine, Zeitungen
    D Kleidung und Sportartikel

18. **Für wen ist diese Grafik am interessantesten?**
    A Für Leute, die nicht gern online einkaufen
    B Für Unternehmen, die online ihre Ware verkaufen
    C Für Eltern, die für ihre Kinder Bücher kaufen
    D Für Jugendliche, die Filme und Musik im Internet kaufen

19. **Wie viele Verbraucher haben in dem angegebenen Zeitraum Waren über das Internet bestellt?**
    A 1612
    B 53 Prozent
    C 25.000.000
    D 63 Prozent

20. **Welche Altersgruppe kauft am meisten im Internet?**
    A 16- bis 24-Jährige
    B 65-Jährige und Ältere
    C 10- bis 15-Jährige
    D 25- bis 44-Jährige

21. **In welche Kategorie gehören Käthe-Kruse-Puppen?**
    A Bücher, Magazine, Zeitungen
    B Möbel, Spielzeug u. a.
    C Reisen, Hotels, Bahn- oder Flugtickets
    D Kleidung, Sportartikel

22. **Über welchen Zeitraum berichtet die Grafik?**
    A Über das erste Vierteljahr im Jahr 2006
    B Über das erste Quartal im Jahr 2007
    C Über das erste halbe Jahr 2006
    D Über einen nicht genau angegebenen Zeitraum

23. **Sie erzählen einem guten Freund, was Sie aus der Grafik erfahren haben.**
    Was sagen Sie?
    A Also, willst du das wirklich wissen? Na ja, es geht in der Grafik darum, wie viele Flugmeilen die Konsumenten gesammelt haben.
    B Ich würde nie im Leben im Internet einkaufen, das unterstütze ich nicht. Ich finde, dass man in Läden einkaufen sollte.
    C Ich verstehe eigentlich gar nicht, was der Begriff „Mehrfachnennung" bedeutet.
    D Die Grafik zeigt uns, dass Bücher, Magazine und Zeitungen am häufigsten online erworben werden und dass Konsumenten im Alter von 25 bis 44 Jahren am häufigsten im Internet bestellen.

Auswahl 4

Thema: Alltag – Unterhaltung, Reisen und Freizeit

Übersicht

In diesem Text geht es um ein großes Fest, den „Förde-Fun" in Kiel.

Jetzt wieder in Kiel: Förde-Fun, der größte Jahrmarkt Norddeutschlands

Nächsten Samstag ist es so weit: Wie jedes Jahr am zweiten Maiwochenende eröffnet auch 2013 wieder der Förde-Fun, Norddeutschlands größter Jahrmarkt. Dann heißt es zwei Wochen lang Action, Spaß und leckeres Essen für Jung und Alt. Unsere Korrespondentin hat sich schon jetzt einmal auf dem zentralen Festplatz umgesehen, um Ihnen vorab die
5   **spannendsten Neuheiten vorzustellen.**

2013 ist der Förde-Fun so groß wie nie zuvor: Auf 180 000 Quadratmetern präsentieren sich über 355 Aussteller von A wie Autoscooter bis Z wie Zuckerwatte. Das gesamte Gelände der zentralen Festwiese und noch ein Teil der umliegenden Parkplätze wird dafür genutzt. Dabei werden dieses Jahr in Kiel Weltneuheiten unter den Fahrgeschäften präsentiert und kulinarische Genüsse aus der
10   ganzen Welt geboten.

Natürlich gibt es wie jedes Jahr und wie auf jedem Rummel ein reiches Angebot für Traditionalisten: Von Büchsenwerfen über Luftgewehrschießen bis zum Riesenrad und der altbekannten Wasserbahn ist alles dabei. Aber der Förde-Fun hat noch viel mehr zu bieten.

Für die ganz Schwindelfreien unter den Besuchern – und nur für Erwachsene, die Fahrt ist erst ab
15   18 Jahren erlaubt – gibt es dieses Jahr den „Mega Spin": In über 70 Metern Höhe sitzt man in rasendschnell um alle möglichen Achsen rotierenden Kabinen. Wer da noch Zeit hat, den wunderbaren Blick über die Ostsee zu genießen, der ist wirklich durch nichts zu beeindrucken!

Für besonders nervenstarke Menschen oder für solche, die die Grenzen ihres eigenen Mutes austesten wollen, bietet sich ein Besuch im neuen Giga-Simulations-Park „Future Life" an. Es gibt
20   nichts, was man hier nicht erleben könnte: Notlandungen mit dem Flugzeug, Erdbeben, Weltraumflüge, die Besteigung des höchsten Berges der Welt – natürlich alles nur in der Simulation.

Wer nach der ganzen Aufregung Hunger hat, dem sei ein Besuch im „Meer zum Essen"-Gastro-Paradies geraten. Hier findet sich wirklich alles, was das Feinschmecker-Herz begehrt – und entgegen dem Namen gibt es nicht nur Leckereien aus dem Meer wie die berühmten Kieler Sprotten,
25   sondern auch Herzhaftes vom Land und süße Köstlichkeiten.

Besucherinformation: Der Förde-Fun ist von kommendem Samstag um 10 Uhr bis zum 2. Juni täglich von 10 bis 19, freitags und samstags bis 23 Uhr und am Feuerwerksfreitag (31. Mai) sogar bis 1 Uhr nachts geöffnet. Von einer Anfahrt mit dem Auto raten die Veranstalter dringend ab, da nur eine begrenzte Anzahl an Parkplätzen zur Verfügung steht. Dafür haben aber die Kieler Verkehrs-
30   betriebe die Intervalle im Bus- und Bahnverkehr während der Rummel-Tage verkürzt. Der Eintritt auf den Förde-Fun kostet wie letztes Jahr auch schon 5 Euro. Auch bei den Getränke- und

Essenspreisen hat sich im Vergleich zum Vorjahr nicht viel geändert. Nur für die neuen Fahrge-schäfte muss man etwas tiefer in die Tasche greifen: Eine Fahrt mit dem Mega Spin kostet 15 Euro pro Person und für einen Besuch im Future Life muss man ganze 18 Euro berappen.

24. Der erste Absatz des Artikels …

A stellt die Meinung der Autorin vor.

B beschreibt gegensätzliche Standpunkte.

C behandelt Quellen des Artikels.

D fasst den Artikel zusammen.

25. Was ist das Thema des Artikels?

A Die Preise auf dem Förde-Fun

B Die Beschreibung des Förde-Funs

C Das Essen auf dem Förde-Fun

D Die Verkehrsverbindungen zum Förde-Fun

26. Was ist genau das Richtige für Nervenstarke auf dem Förde-Fun?

A Büchsenwerfen und Luftgewehrschießen

B Der traumhafte Blick über die Ostsee

C Erlebnisse im „Future Life"

D Eine Fahrt mit der Wildwasserbahn

27. Wie kommt man am besten zum Fest?

A Mit dem Auto

B Mit Bus oder Bahn

C Mit dem Motorrad

D Zu Fuß

28. Was könnten „Kieler Sprotten" (Zeile 24) sein?

A Eine Fischspezialität

B Eine süße Köstlichkeit

C Der Name des gastronomischen Bereichs auf dem Förde-Fun

D Eine herzhafte Spezialität, die nicht aus dem Meer kommt

29. An welchem Tag ist das Feuerwerk?

A Am Samstag um 15 Uhr

B Am Eröffnungstag

C Am Freitag, den 31. Mai

D Das wird im Text nicht erwähnt.

30. Welche Aussage über den „Mega Spin" ist richtig?

A Hier können sich bis zu 70 Erwachsene rasendschnell um die eigene Achse drehen.

B Das ist ein extra Fahrgeschäft, um den Blick über die Ostsee zu genießen.

C Kinder und Jugendliche unter 18 Jahren dürfen ihn nicht benutzen.

D Man kann hier simulierte Katastrophen erleben.

Interpretive Communication: Print and Audio Texts

Time – Approximately 55 minutes

→ You have 1 minute to read the directions for this part.

→ You will listen to several audio selections. The first two audio selections are accompanied by reading selections. When there is a reading selection, you will have a designated amount of time to read it.

For each audio selection, first you will have a designated amount of time to read a preview of the selection as well as to skim the questions that you will be asked. Each selection will be played twice. As you listen to each selection, you may take notes. Your notes will not be scored.

After listening to each selection the first time, you will have 1 minute to begin answering the questions; after listening to each selection the second time, you will have 15 seconds per question to finish answering the questions. For each question, choose the response that is best according to the audio and/or reading selection and mark your answer on your answer sheet.

→ You will now begin this part.

→ *Sie haben 1 Minute Zeit, um die Anweisungen für den folgenden Teil zu lesen.*

→ *Sie werden einige Audioauszüge hören. Die ersten beiden Audioauszüge sind mit Lesetexten gekoppelt. In diesem Falle steht Ihnen eine vorgegebene Zeit zum Lesen dieser Texte zur Verfügung. Vor dem Hören jeder Auswahl bekommen Sie etwas Zeit, um sich die Übersicht der Auswahl anzuschauen und die Fragen zu überfliegen. Sie hören jeden Auszug zweimal. Während Sie zuhören, können Sie sich Notizen machen. Ihre Notizen werden nicht benotet.*

Nach dem ersten Anhören jeder Auswahl haben Sie 1 Minute Zeit, um mit dem Beantworten der Fragen zu beginnen; nach dem zweiten Anhören jeder Auswahl haben Sie pro Frage 15 Sekunden Zeit, um die Fragen fertig zu beantworten. Wählen Sie für jede Frage die Antwort, die am besten mit der vorgegebenen Auswahl übereinstimmt! Markieren Sie Ihre Antwort auf dem Antwortbogen!

→ *Sie werden jetzt mit diesem Teil beginnen.*

Auswahl 1

 2 2–4 Thema: Schönheit und Ästhetik – Musik, Theater, Film

Quellenmaterial 1
Zuerst haben Sie 4 Minuten Zeit, um das Quellenmaterial 1 zu lesen.

Übersicht
Hier geht es um Musik in Deutschland. Der Text ist aus der Veröffentlichung „Tatsachen über Deutschland".

Musik – ein vitales Spektrum der Stile

Deutschlands Ruf als bedeutende Musiknation stützt sich noch immer auf Namen wie Bach, Beethoven und Brahms, wie Händel und Richard Strauss. Studenten aus aller Welt strömen an die Musikhochschulen, Musikliebhaber besuchen die Festivals von den Bayreuther Wagner-Festspielen bis zu den Donaueschinger Musiktagen für zeitgenössische Musik. 80 öffentlich finanzierte

5 Musiktheater gibt es in Deutschland, führend sind die Häuser in Hamburg, Berlin, Dresden und München sowie in Frankfurt am Main, Stuttgart und Leipzig. Die von dem britischen Stardirigenten Sir Simon Rattle geleiteten Berliner Philharmoniker gelten als bestes der rund 130 Kulturorchester in Deutschland. Das Frankfurter „Ensemble Modern" ist wesentlicher Motor der zeitgenössischen Musikproduktion. Es erarbeitet sich jährlich etwa 70 neue Werke, darunter 20 Uraufführungen.

10 Neben international bekannten Pultgrößen wie Kurt Masur oder Christoph Eschenbach haben sich bei den jüngeren Dirigenten Ingo Metzmacher und Christian Thielemann besonders hervorgetan. Bei den Interpreten gehören die Sopranistin Waltraud Meier, der Bariton Thomas Quasthoff und die Klarinettistin Sabine Meyer zur Weltspitze. Die Geigerin Anne-Sophie Mutter findet ein riesiges Publikum auch jenseits der Klassik-Klientel und ist „der" deutsche Weltstar schlechthin.

15 Auf der anderen Seite des musikalischen Spektrums ist der Popsänger Herbert Grönemeyer mit seinem Gespür für den Zeitgeist und die Befindlichkeiten seiner Fans seit Jahren mit deutschen Texten erfolgreich. Die Punkrock-Band „Die Toten Hosen", die Heavy-Metal-Formation „Rammstein" sowie die Teenie-Gruppe „Tokio Hotel" gehören ebenfalls in die Kategorie der deutschen Superstars. In den vergangenen Jahren orientierten sich Künstler wie der Sänger Xavier Naidoo („Söhne

20 Mannheims") zudem erfolgreich an den US-amerikanischen Stilrichtungen Soul und Rap. Speziell in dieser Szene entwickeln sich viele junge Musiker mit Migrationshintergrund zu Stars, wie Laith Al-Deen, Bushido, Cassandra Steen und Adel Tawil. Der Erfolg der Berliner Band „Wir sind Helden" zog zuletzt eine neue Welle junger deutscher Bands nach sich. Mit Gründung der „Popakademie" in Mannheim wurde der politische Wille deutlich, deutsche Popmusik konkurrenzfähig zu machen.

25 Auch in der Clubszene bietet Deutschland viele angesagte Lokationen, vor allem in den Groß-städten Berlin, Köln, Frankfurt, Stuttgart und Mannheim. Mit dem Discotrend der 1970er-Jahre, dem Rap/Hip-Hop der 1980er-Jahre und dem Technostil der 1990er-Jahre emanzipierten sich DJs als Klangkünstler und Produzenten. Scratching, Sampling, Remixe und Computertechnik machten Tonträger zur beliebig veränderbaren Rohmasse für Metamusik. Mit Sven Väth, dem „Godfather of

30 Techno", und Paul van Dyk kommen aus Deutschland zwei der absoluten Topstars der Clubszene.

Quellenmaterial 2
Sie haben 2 Minuten Zeit, um die Übersicht zu lesen und die Fragen zu überfliegen.

Übersicht
Dieser Hörtext ist ein Ausschnitt eines Schülervortrags über neue deutsche Musik.

31. **Welche Überschrift könnte für diesen Artikel (Quellenmaterial 1) auch passen?**
    A Deutsche Popmusik im internationalen Vergleich
    B Warum nicht auch mal Techno: Paul van Dyk
    C Musikland Deutschland
    D Bekannte Musiker

32. **In Deutschland gibt es ____ Kulturorchester.**
    A 20
    B 70
    C 80
    D 130

33. **Die bekannteste deutsche Interpretin ist …**
    A Anne-Sophie Mutter.
    B Sabine Meyer.
    C Cassandra Steen.
    D Waltraud Meier.

34. **„Wir sind Helden" ist …**
    A der Titel eines Liedes.
    B der Name einer Band.
    C der Name der deutschen Popakademie.
    D ein Remix.

35. **Welches Festival wird im Text (Quellenmaterial 1) erwähnt?**
    A Mannheims Popakademie
    B Die Bayreuther Wagner-Festspiele
    C Die Frankfurter Discotage
    D Das Berliner Technofestival

36. **In dem Schülervortrag (Quellenmaterial 2) wird Rammstein als größter deutscher „Kulturexport" bezeichnet. Was ist damit gemeint?**

    A   Die Band ist in Deutschland sehr beliebt.

    B   Die deutsche Band ist im Ausland sehr populär.

    C   Rammstein ist Teil der deutschen Musikkultur.

    D   Die Band ist oft auf Tour.

37. **Wer ist Campino?**

    A   Der Sänger der Toten Hosen

    B   Der Schlagzeuger der Toten Hosen

    C   Der Gitarrist der Toten Hosen

    D   Ein Fan der Band

38. **Was haben Sie in dem Schülervortrag über Cro gelernt?**

    A   Cro ist ein junger Hip-Hop Sänger, der im März 23 wird.

    B   Cro ist ein junger Hip-Hop Sänger, der immer eine Pandabärmaske trägt.

    C   Cro ist ein junger Hip-Hop Sänger, der jeden Tag ein Konzert gibt.

    D   Cro ist ein junger Hip-Hop Sänger, der einer der international bekanntesten deutschen Musiker ist.

39. **Worin liegt der wesentliche Unterschied zwischen den beiden Quellenmaterialien?**

    A   Quellenmaterial 1 zeigt eine negative und Quellenmaterial 2 eine positive Meinung von deutscher Heavy-Metal-Musik.

    B   Quellenmaterial 2 wendet sich an Jugendliche und Quellenmaterial 1 an Erwachsene.

    C   Quellenmaterial 1 gibt einen Überblick über deutsche Musik und Quellenmaterial 2 spricht über einen Sänger und eine Band, die in der deutschen Hitparade unter den ersten 10 sind.

    D   Quellenmaterial 2 ist eine Kulturreportage und Quellenmaterial 1 ein Zeitungsartikel.

Auswahl 2

 2 5-7 **Thema: Alltag – Ausbildung und Karriere**

Quellenmaterial 1
Zuerst haben Sie 4 Minuten Zeit, um das Quellenmaterial 1 zu lesen.

Übersicht
Dieser Artikel aus der Berliner Morgenpost vom 15.10.2012 berichtet über das Essen an Berliner Schulen, Kitas (Kindertagesstätten) und in Horten, das sind Orte, an denen Schüler nach Schulschluss betreut werden.

Das Schulessen soll besser werden

Nudeln mit Tomatensoße, mitgebrachte Stullen oder selbst gebackene Pizza – in der ersten Herbstferienwoche hatten viele Kita- und Hortkinder in Berlin einen Notspeiseplan. Denn das Mittagessen, das sie sonst fertig geliefert bekommen, durften die Kinder in 30 Kitas und 70 Grundschulhorten nicht essen.

5   So viele Kindereinrichtungen versorgt normalerweise die Großküche der Firma Sodexo. Und im Sodexo-Essen soll sich der Erreger befunden haben, der kurz vor den Ferien fast 11.000 Kinder und Jugendliche in fünf Bundesländern krank gemacht hat. In Berlin hatte es 2732 Kinder erwischt. In den Laboren der Gesundheitsämter wurde unterdessen Tag und Nacht gearbeitet. Lebensmitteltechniker verglichen Speisepläne und untersuchten jeden Bestandteil des Essens, das

10   Ende September ausgeliefert wurde. Nach einer guten Woche war der Erreger dann gefunden: Mit einem Virus infizierte tiefgefrorene Erdbeeren aus China haben den Ausbruch der Brechdurchfall-Epidemie verursacht. Sie waren zu Kompott verarbeitet worden und dabei vermutlich nicht genug erhitzt worden.

Eltern fordern frischeres Essen

Nun stellen viele Politiker die Frage, warum für das deutsche Kantinen-Essen unbedingt tiefge-

15   frorene Erdbeeren aus China eingeflogen werden müssen. Sie meinen, es wäre besser, heimische Früchte, wie Äpfel oder Birnen, als Kompott zum Nachtisch zu servieren. Das wäre für die Umwelt besser und auch leichter zu kontrollieren.

Die ganze Geschichte hat aber auch etwas Gutes. Sie hat nämlich dazu geführt, dass im Moment ziemlich viel über das Schulessen geredet wird. Viele Eltern finden, dass es nicht gut genug ist. Sie

20   wünschen sich auch frischere Speisen für ihre Kinder.

Doch nicht jede Schule hat eine Küche, um selbst kochen zu lassen. Das ist außerdem teurer, als das Essen bei Großküchen zu bestellen. Weil die sehr große Mengen brauchen, können sie ihre Waren billiger einkaufen und günstiger kochen.

Die Großküchen sagen jedoch, dass sie nichts Besseres liefern können, wenn dafür kein vernünf-

25   tiger Preis bezahlt wird. Im Moment kostet ein Essen pro Grundschüler meist etwa zwei Euro am Tag. Damit werden aber nicht nur die Nudeln, das Gemüse oder die Kartoffeln bezahlt, die auf dem Teller landen, sondern auch die Köche und der ganze Betrieb.

Quellenmaterial 2

Sie haben 2 Minuten Zeit, um die Übersicht zu lesen und die Fragen zu überfliegen.

Übersicht

Sie hören ein Gespräch über ein besonderes Mittagessen, das Studenten, die an einem Kurs teilnehmen, vorbereiten und während des Semesters dienstags und donnerstags auf dem Campus anbieten.
Die Interviewerin befragt eine Professorin der Universität, die oft zum Essen in die Studentenküche geht.

40. **Wen spricht der Artikel „Das Schulessen soll besser werden" (Quellenmaterial 1) hauptsächlich an?**
    A Gymnasiasten
    B Professorinnen und Professoren
    C Bauarbeiter
    D Eltern

41. **Wie viel kostet das Schulessen zurzeit pro Tag?**
    A 0,70 €
    B 2,00 €
    C 0,30 €
    D 2,50 €

42. **Viele Kinder wurden krank, weil sie …**
    A verunreinigte Erdbeeren aus China gegessen haben.
    B Nudeln mit Tomatensoße gegessen haben.
    C Pizza gegessen haben.
    D eine Stulle gegessen haben.

43. **Warum wurde zur Zeit des Artikels viel über das Schulessen gesprochen?**
    A Weil Kinder lieber Birnen essen wollten.
    B Weil Kompott nicht genug erhitzt wurde.
    C Weil viele Kinder am Schulessen erkrankt sind.
    D Weil die Firma Sodexo mehr Geld verdienen wollte.

44. **Was gehört laut Quellenmaterial 2 nicht zu den Aufgaben der Studenten?**
    A Speisen zubereiten und kochen
    B Der Speiseplan
    C Der Einkauf von Zutaten
    D Kostenaufstellung

45. Zweimal in der Woche in diesem Restaurant zu essen (Quellenmaterial 2) ist keine gute Idee für …

A   Vegetarier.

B   Studenten mit Allergien.

C   Personen, die eine Diät machen.

D   Menschen, die nur deutsche Küche mögen.

46. Die meisten Restaurantgäste sind vermutlich …

A   Menschen mit einer Gluten-Allergie.

B   Studenten verschiedener Studienrichtungen.

C   Professoren, die keine Angst davor haben, vergiftet zu werden.

D   Studenten, die sich speziell für diesen Universitätskurs interessieren.

47. Was ist richtig (Quellenmaterial 2)?

A   Die Arbeit in diesem Restaurant ist Teil eines Wettbewerbs, um herauszufinden, wer der beste Koch ist.

B   Die Studentenköche kochen während des Semesters zweimal pro Woche.

C   Der Zweck des Restaurants ist es, das Essverhalten von jungen Menschen zu studieren.

D   Nur Studenten, die Ernährungswissenschaften studieren, dürfen im Restaurant arbeiten.

48. Was verbindet Quellenmaterial 1 und 2? In beiden geht es um …

A   Essenszubereitung für sehr viele Menschen.

B   Restaurants in Berlin.

C   das beste Essen in einer Universitätsmensa.

D   Kommunikationsorte.

Auswahl 3

 **2** *8–10* **Thema: Globalisierung – Umweltschutz**
Zuerst haben Sie 1 Minute Zeit, um die Übersicht zu lesen und die Fragen zu überfliegen.

Übersicht
In diesem Hörtext geht es um die fiktive Familie Meier und die Verschwendung von Nahrungsmitteln.

49. **Von den Lebensmitteln, die europäische Verbraucher kaufen, landen durchschnittlich wie viel Prozent im Müll?**
    A Niemand weiß es.
    B 50 Prozent
    C 30 Prozent
    D 6 Prozent

50. **Der größte Teil der weggeworfenen Lebensmittel besteht aus …**
    A Fleisch und Fisch.
    B Obst und Gemüse.
    C Resten von selbstgekochten Speisen.
    D Resten von Speisen in Restaurants.

51. **Was kann der Verbraucher tun, um den Anteil der weggeworfenen Lebensmittel zu halbieren?**
    A Weniger essen
    B Nur billige Lebensmittel kaufen
    C Mehr Tiefkühlprodukte wie Pizza kaufen
    D Besser planen, was er kauft

52. **Welche dieser Ideen hilft nicht, den Anteil der Lebensmittel, die auf den Müll kommen, zu reduzieren?**
    A Speisereste in anderen Rezepten benutzen
    B Mehr frische Zutaten kaufen
    C Als Einzelperson eine Familienpackung tiefgefrorene Lasagne kaufen
    D Saisonprodukte in kleineren Mengen kaufen

53. **Was ist in dem Hörtext ein anderes Wort für „Übriggebliebenes"?**

A Reste

B Absätze

C Unrat

D Relikte

54. **Laut Hörtext kann man das Geld, das man spart, wenn man Lebensmittel nicht verschwendet, …**

A den Kindern als Geburtstagsgeschenk geben.

B in Lebensmittelgeschäfte investieren.

C für bessere Lebensmittel ausgeben.

D für andere Dinge ausgeben.

Auswahl 4

 Thema: Alltag – Unterhaltung, Reisen und Freizeit

Zuerst haben Sie 1 Minute Zeit, um die Übersicht zu lesen und die Fragen zu überfliegen.

Übersicht

Frau Herta Niemeyer und ihr Mann sind im Ruhestand und leben in Wien, verbringen aber ein bis zwei Monate pro Jahr in einer anderen Stadt. In diesem Hörtext erzählt Frau Niemeyer von einem längeren Aufenthalt in Berlin.

55. Der Hörtext richtet sich besonders an …
- A Leute im Ruhestand.
- B Menschen, die gerne in andere Städte reisen.
- C Frau Niemeyers Familie.
- D Leute, die gerne einkaufen.

56. Warum hat es Frau Niemeyer in Paris nicht sehr gefallen?
- A Weil sie lieber in Wien gewesen wäre.
- B Weil sie kein Französisch spricht.
- C Weil sie dort keinen Supermarkt in der Nähe hatte.
- D Weil ihr Mann Paris nicht mag.

57. An welchen Tagen gibt es in Friedenau Markt?
- A Mittwoch und Sonnabend
- B Montag und Samstag
- C Freitag und Samstag
- D Sonnabend und Sonntag

58. Frau Niemeyer wusste, bevor sie Berlin besuchte, nicht, dass …
- A Berlin im 13. Jahrhundert gegründet wurde.
- B Berlin ursprünglich Kladow hieß.
- C Berlin in 40 Jahren errichtet wurde.
- D Berlin aus vielen kleineren Städten zusammengewachsen ist.

59. Sie schreiben an Frau Niemeyer, denn Sie möchten mehr Informationen über ihren Aufenthalt in Berlin bekommen. Wie fangen Sie den Brief an und wie beenden Sie ihn?
- A Liebe Herta, … Viele liebe Grüße
- B Liebe Frau Niemeyer, … Mit freundlichen Grüßen
- C Hey Frau Niemeyer, … Bis bald
- D Hallo Herta, … Hochachtungsvoll

Auswahl 5

 Thema: Persönliche und öffentliche Identität – Selbstverständnis

Zuerst haben Sie 1 Minute Zeit, um die Übersicht zu lesen und die Fragen zu überfliegen.

Übersicht

Ein Sportreporter der Braunschweiger Neuesten Nachrichten spricht mit Klaus Tannenbaum, einem langjährigen Mitglied des Fußballvereins Eintracht Braunschweig.

60. Welche Aussage fasst den Hörtext am besten zusammen?

A Klaus Tannenbaum spricht über Gewalt in Fußballstadien.

B Klaus Tannenbaum erklärt, warum er gern Fußball spielt.

C Klaus Tannenbaum diskutiert die Leistungen von Eintracht Braunschweig.

D Klaus Tannenbaum beschreibt die Fußball- und Fankultur in Braunschweig.

61. Um was für einen Text handelt es sich?

A Um ein Interview

B Um einen Vortrag

C Um eine Diskussion

D Um ein persönliches Gespräch

62. Warum geht Klaus Tannenbaum gern zu Spielen von Eintracht Braunschweig ins Stadion?

A Weil er dort mit Spielern, Trainern und Betreuern sprechen kann.

B Weil er den neuesten Stand der Bauarbeiten sehen will.

C Weil er die Mannschaft bei Heimspielen unterstützen und erleben will.

D Weil er gern in einer traumhaften Kulisse singt.

63. Wie macht der Braunschweiger Trainer das Team erfolgreich?

A Er erzählt von der Meisterschaft 1967 und findet Trikotsponsoring gut.

B Er integriert junge und erfahrene Spieler und fördert den Teamgeist.

C Er arbeitet mit den Fans.

D Er entwickelt viele taktische Möglichkeiten mit ein paar Stammspielern.

64. Wie soll das Ziel der Braunschweiger Fanhochschule, nämlich die Jugend an gesellschaftspolitische Themen heranzuführen, erreicht werden?

A Durch die Entwicklung eines Verhaltenskodexes gegen Gewalt und Pyrotechnik

B Durch die Bekämpfung der Pyrotechnik im Stadion

C Durch gemeinsames Fußballspielen von jugendlichen Fans und Spielern mit Migrationshintergrund

D Durch Aufklärung, Diskussion und Training gegen Gewalt

65. **Wenn Sie an Klaus Tannenbaum einen Brief schreiben würden, welche Anredeformel würden Sie benutzen?**

    A Hallo Klaus!

    B Hey, Du alter Eintracht-Fan!

    C Sehr geehrter Herr Tannenbaum,

    D Lieber Klaus,

Overview Section II

Altogether you will have about 1 hour and 25 minutes to finish this section.

There are two parts, Part A, where you will read and respond to an e-mail message. You will then be asked to write a persuasive essay. This part will take about 1 hour and 10 minutes.

In Part B you will be asked to respond to a question or statement as part of a simulated conversation and to give a 2-minute presentation. For this part you will have about 15 minutes.

Part A: Interpersonal Writing: E-mail Reply

Time – 15 minutes

→ You will write a reply to an e-mail message. You have 15 minutes to read the message and write your reply. Your reply should include a greeting and a closing and should respond to all the questions and requests in the message. In your reply, you should also ask for more details about something mentioned in the message. Also, you should use the formal form of address.

→ *Sie werden eine E-Mail beantworten. Sie haben 15 Minuten Zeit, um die Nachricht zu lesen und Ihre Antwort zu schreiben. Ihre Antwort sollte eine Begrüßungs- und eine Abschiedsformel beinhalten. Gehen Sie auf alle Fragen und Anforderungen in der Nachricht ein! In Ihrer Antwort sollten Sie auch nach weiteren Details fragen, die sich auf etwas in der Nachricht beziehen! Zudem sollten Sie Ihre E-Mail formell gestalten.*

Interpersonal Writing: E-mail Reply

Thema: Alltag – Gesundheit und Wohlbefinden

Übersicht

Sie arbeiten für die Apotheken-Post, eine Zeitschrift, die sich mit Fragen der Gesundheit beschäftigt. Sie haben einen Artikel über Demenz (Alzheimer-Krankheit) geschrieben. Ihr Chef bittet Sie, den folgenden Leserbrief, der vor kurzem per E-Mail eintraf, zu beantworten.

Betreff: Ihr Artikel vom 27.10.

Von	MeyerHL@yahoo.de
An	medizin@apotheken-post.de
Betreff	Ihr Artikel vom 27.10.

Liebe Apotheken-Post,

mit großem Interesse habe ich Ihren Artikel über Demenz gelesen. Ich pflege nun schon seit mehreren Jahren meinen 75 Jahre alten Mann, Hartmut. Es wird immer schlimmer mit ihm. Er kann gar nichts mehr alleine machen. Was soll ich nur tun? Meine Söhne raten mir, ihn in ein Altersheim zu geben. Aber ich finde das zu traurig, denn seit über 50 Jahren sind wir verheiratet und ich habe bei meiner Hochzeit geschworen, dass das so bleibt, „bis dass der Tod uns scheidet". Das heißt für mich, dass ich bei ihm bleibe, bis einer von uns stirbt.

Jeden Tag bin ich nur mit ihm beschäftigt. Ich habe eigentlich keine Zeit einkaufen zu gehen, denn ich kann ihn nicht länger als eine halbe Stunde alleine lassen. Meine Söhne wohnen so weit weg, dass sie mir nicht helfen können. Sie kommen aber in den Ferien und entlasten mich dann etwas.

Wissen Sie vielleicht, ob es irgendwelche Gruppen gibt, in denen ich Unterstützung finden könnte? Ich fühle mich so alleine, denn ich kann mit Hartmut kaum noch sprechen.

Sie sehen, dass ich weder aus noch ein weiß. Wenn Sie irgendwelche Vorschläge haben, wie ich meine Situation und die meines Mannes verbessern könnte, dann schreiben Sie mir bitte zurück.

Ich danke Ihnen recht herzlich und verbleibe
mit freundlichen Grüßen

Ihre
Luise Meyer

Presentational Writing: Persuasive Essay

Time – Approximately 55 minutes

→ You will write a persuasive essay to submit to a German writing contest. The essay topic is based on three accompanying sources, which present different viewpoints on the topic and include both print and audio material. First, you will have 6 minutes to read the essay topic and the printed material. Afterward, you will hear the audio material twice; you should take notes while you listen. Then, you will have 40 minutes to prepare and write your essay. In your persuasive essay, you should present the sources' different viewpoints on the topic and also clearly indicate your own viewpoint and defend it thoroughly. Use information from all of the sources to support your essay. As you refer to the sources, identify them appropriately. Also, organize your essay into clear paragraphs.

→ *Sie werden an einem deutschen Schreibwettbewerb teilnehmen und reichen einen Aufsatz ein, in dem Sie überzeugend und klar Ihre Argumente darstellen. Das Thema des Aufsatzes basiert auf drei Quellen, die jeweils einen anderen Aspekt dieses Themas darstellen. Diese Quellen bestehen jeweils aus Hör- und Lesetexten. Zuerst haben Sie 6 Minuten Zeit, um das Aufsatzthema und die zusätzlichen Informationen zu lesen. Danach werden Sie den Hörtext zweimal hören. Dabei sollten Sie sich Notizen machen. Dann haben Sie 40 Minuten Zeit, um den Aufsatz zu organisieren und zu schreiben. Ihr Aufsatz sollte unterschiedliche Meinungen der Quellen zu dem Thema behandeln und Ihre eigene Meinung dazu klar ausdrücken und verteidigen. Benutzen Sie die Informationen, die Ihnen durch das Quellenmaterial zur Verfügung gestellt wurden, um Ihre Meinung zu begründen! Wenn Sie auf das Quellenmaterial verweisen, identifizieren Sie dieses entsprechend. Zudem sollte der Aufsatz übersichtlich in Absätze gegliedert sein.*

Presentational Writing: Persuasive Essay

Thema: Naturwissenschaft und Technologie – Gesundheitswesen

Sie haben 6 Minuten Zeit, um das Aufsatzthema, das Quellenmaterial 1 und das Quellenmaterial 2 zu lesen.

Aufsatzthema

In Deutschland gibt es die so genannte Krankenversicherungspflicht. Würden Sie eine solche Pflicht in Ihrem Land befürworten oder ablehnen?

Quellenmaterial 1

Übersicht

Hilda aus Berlin schreibt an ihre Nichte Julia, eine Schülerin an der Abraham Lincoln High School in Denver. Julia soll für ihren Comparative Government-Kurs einen Aufsatz über das Krankenversicherungssystem in Deutschland schreiben.

Liebe Julia,   Berlin, 3. Mai

schön, dass du mir geschrieben hast und dass ich dir mal helfen kann!

Du fragtest nach meinen Erfahrungen mit der Krankenversicherung in Deutschland, weil du ein Referat darüber halten sollst. Das System in Deutschland ist ziemlich kompliziert, aber ich werde mal versuchen, es dir zu erklären:

Es gibt zwei Arten von Krankenversicherungen, gesetzliche und private.

Ich bin bei der Barmer Ersatzkasse (einer gesetzlichen Krankenkasse) versichert, es gibt auch viele andere, wie z. B. die AOK (Allgemeine Ortskrankenkasse) und Betriebskrankenkassen. Krankenversicherungen haben in Deutschland eine lange Geschichte. Es gibt sie schon seit Bismarck, also seit Ende des 19. Jahrhunderts.

In Deutschland gibt es seit 2009 eine Krankenversicherungspflicht, die keine Ausnahmen mehr hat. (Die gab es vorher für Leute, die selbstständig gearbeitet haben.)

Als angestellte Journalistin muss ich jeden Monat 8,2 % meines Gehaltes für die Versicherung zahlen. Mein Arbeitgeber, die Berliner Tageszeitung, muss 7,3 % beitragen. Regina, deine Kusine, studiert ja an der TU Berlin. Sie zahlt viel weniger. Der Beitrag richtet sich nach dem Einkommen. Wenn man in einer Ausbildung weniger als 325 Euro im Monat verdient, muss der Arbeitgeber die Krankenversicherung komplett bezahlen.

Hier in Deutschland achtet man sehr darauf, dass man gar nicht erst krank wird, deshalb gehe ich alle zwei Jahre zur Gesundheitsvorsorge. Du kannst dir vorstellen, dass es für die Krankenkasse viel billiger ist, wenn man eine Krankheit verhütet oder sehr früh erkennt.

Wie ist es, wenn ich krank werde? Dann gehe ich zum Arzt, ganz einfach, und die Krankenkasse bezahlt. Ich hatte ja vor vier Jahren einen Unfall. Damals war ich zehn Tage im Krankenhaus und dann musste ich zur Krankengymnastik, das dauerte fast ein halbes Jahr. Für das Krankenhaus musste ich jeden Tag nur zehn Euro bezahlen. Was mir damals sehr geholfen hat, war, dass ich eine Haushaltshilfe für Peter-Clemens hatte, der war ja noch sehr klein und Onkel Herbert war zu der Zeit im Ausland. Diese Haushaltshilfe hat auch die Krankenkasse bezahlt.

Die Krankenkassen bezahlen zum Beispiel auch, wenn man Mutter wird: Als meine Kinder geboren wurden, durfte ich sechs Wochen vor der Geburt nicht mehr arbeiten. Ich bekam während dieser Zeit und acht Wochen danach Mutterschaftsgeld.

Ich hoffe, dass dir die Informationen ein bisschen weiterhelfen. Wenn du noch Fragen hast, dann schreib mir wieder! Hoffentlich sehen wir uns in diesem Jahr mal. Wir haben eigentlich vor, euch in Denver zu besuchen.

Alles Liebe von deiner Tante Hilda

Quellenmaterial 2

Übersicht

Rund jeder neunte Euro, der in Deutschland erwirtschaftet wird, fließt in das Gesundheitswesen. Das geht aus der neuen Gesundheitsausgabenrechnung hervor, die das Statistische Bundesamt veröffentlicht hat. Die Ausgaben summierten sich im Jahr 2010 auf 287,3 Milliarden Euro; das entsprach 11,6 Prozent der Wirtschaftsleistung (des Bruttoinlandsprodukts).

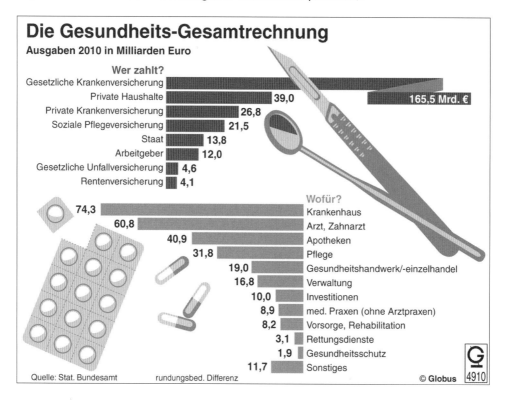

Quellenmaterial 3

Sie haben 30 Sekunden Zeit, um die Übersicht zu lesen.

Übersicht

In dem folgenden Interview hören Sie zwei verschiedene Standpunkte zu dem Thema „Sollte es eine Krankenversicherungspflicht für alle geben"? Eine Person befürwortet die allgemeine Krankenversicherung, die andere lehnt diese Idee grundsätzlich ab.

Prüfungstraining | AP® German Language and Culture | © 2013 Cornelsen Schulverlag GmbH, Berlin. Alle Rechte vorbehalten.

2 *20–21* **Interpersonal Speaking: Conversation**

Time – Approximately 15 minutes

→ This part requires spoken responses. Your cue to start or stop speaking will always be a tone.

→ Your spoken responses will be recorded. Your score will be based on what you record. It is important that you speak loudly enough and clearly enough for the machine to record what you say. You will be asked to start, pause, and stop your recorder at various points during the exam. Follow the directions and start, pause, or stop the recorder only when you are told to do so. Remember that the tone is a cue only to start or stop speaking – not to start or stop the recorder.

→ You will participate in a conversation. First, you will have 1 minute to read a preview of the conversation, including an outline of each turn in the conversation. Afterward, the conversation will begin, following the outline. Each time it is your turn to speak, you will have 20 seconds to record your response.

→ You should participate in the conversation as fully and appropriately as possible.

→ *In dem folgenden Teil müssen Sie sprechen. Ihr Signal, um anzufangen oder aufzuhören, wird immer ein Ton sein.*

→ *Ihre gesprochenen Antworten werden aufgenommen. Ihre Note basiert darauf, was Sie aufgenommen haben. Es ist wichtig, dass Sie laut und deutlich genug sprechen, damit die Aufnahme ganz klar ist. Sie werden an bestimmten Stellen gebeten, den Rekorder zu starten, auf Pause zu drücken oder zu stoppen. Folgen Sie den Anweisungen und starten Sie den Rekorder, drücken Sie auf Pause und stoppen Sie den Rekorder nur dann, wenn Sie explizit dazu aufgefordert werden. Denken Sie daran, dass der Ton nur ein Signal für das Anfangen und das Aufhören des Sprechens ist – nicht dafür, wann man den Rekorder startet oder stoppt.*

→ *Sie nehmen an einem Gespräch teil. Zuerst haben Sie 1 Minute Zeit, um die Übersicht für das Gespräch zu lesen. Sie sehen auch einen Plan, der einen Überblick jedes Austauschs zeigt. Danach beginnt das Gespräch, welches dem Plan folgt. Jedes Mal, wenn Sie sprechen sollen, haben Sie 20 Sekunden Zeit, um Ihre Antwort aufzunehmen.*

→ *Sie sollten Ihre Antworten so komplett und angemessen wie möglich gestalten.*

Interpersonal Speaking: Conversation

Thema: Alltag – Ausbildung und Karriere

Übersicht

Sie haben sich bei dem Restaurant Italiano um eine Stelle beworben. Das Restaurant Italiano ist sehr beliebt, aber auch teuer. Sie sprechen mit dem Manager, Herrn Kühn.

Herr Kühn	begrüßt Sie und stellt Ihnen Fragen.
Sie	beantworten seine Fragen und erzählen über sich selbst.
Herr Kühn	möchte wissen, ob Sie schon Erfahrung haben.
Sie	erzählen über Ihre Erfahrungen.
Herr Kühn	stellt Ihnen eine Frage, die oft in Vorstellungsgesprächen vorkommt.
Sie	beantworten die Frage.
Herr Kühn	beschreibt eine Problemsituation und fragt Sie, wie Sie sich verhalten würden.
Sie	erklären, was Sie machen würden.
Herr Kühn	fragt Sie nach Ihrer Verfügbarkeit.
Sie	erzählen ihm, wann Sie verfügbar sind.
Herr Kühn	bedankt sich für das Gespräch.

Presentational Speaking: Cultural Comparison

Time – Approximately 7 minutes

→ You have 1 minute to read the directions for this part.

→ You will make an oral presentation on a specific topic to your class. You will have 4 minutes to read the presentation topic and prepare your presentation. Then you will have 2 minutes to record your presentation. In your presentation, compare your own community to an area of the German-speaking world with which you are familiar. You should demonstrate your understanding of cultural features of the German-speaking world. You should also organize your presentation clearly.

→ You will now begin this task.

→ *Sie haben 1 Minute Zeit, um die Anweisungen für den folgenden Test zu lesen.*

→ *Sie halten vor Ihrer Klasse einen Vortrag über ein bestimmtes Thema. Sie haben 4 Minuten Zeit, um das Vortragsthema zu lesen und Ihren Vortrag vorzubereiten. Dann haben Sie 2 Minuten Zeit, um Ihren Vortrag aufzunehmen. In Ihrem Vortrag vergleichen Sie Ihr eigenes soziales Umfeld mit einer Gegend der deutschsprachigen Welt, mit der Sie bekannt sind. Sie sollen Ihr Verständnis der kulturellen Eigenschaften der deutschsprachigen Welt beweisen. Sie sollten Ihren Vortrag übersichtlich gliedern.*

→ *Sie werden jetzt mit dieser Aufgabe beginnen.*

Thema: Globalisierung – Politische Herausforderungen

Thema des Vortrags

Vergleichen Sie Aspekte des politischen Systems Ihres Landes, z. B. die Parteien und das Wahlsystem, mit dem System in einem der deutschsprachigen Länder. Sie können in Ihrem Vortrag Beobachtungen, Erfahrungen oder das, was Sie gelernt haben, beschreiben.

Credits

Vorwort und Kapiteleinleitungen:
© 2011 The College Board. Reproduced with permission. http://apcentral.collegeboard.com.

S. 10:   © DB Mobility Logistics AG

S. 12/13: © Peter Mlodoch

S. 14:   © Picture Alliance, Globus-Infografik

S. 16:   © Bündnis 90/Die Grünen

S. 18/19: © dpa/ Tina Nachtmann

S. 20:   © Aparthotel Panoramic Bad Lauterberg

S. 24:   © Autor: Björn Sievers, Titel: Medien: Burda wird zum Multimedia-Konzern, Aus: FOCUS Online vom 18.06.2008, Link zum Artikel: http://www.focus.de/finanzen/news/medien-burda-wird-zum-multimedia-konzern_aid_312033.html

S. 33:   © Prof. Lothar Schaechterle

S. 36:   © Stadtwerke München

S. 39:   © 2009, IW Medien · iwd 39

S. 42:   © Statistisches Bundesamt

S. 45:   © Zahlenbilder: Bergmoser + Höller Verlag AG, Aachen

S. 53:   © Friedensdorf International

S. 78:   © Deutsche Welle

S. 79:   © Repräsentativumfrage der Apotheken Umschau, durchgeführt von der GfK Nürnberg

S. 80:   © Deutsche Welle, Deutsch zum Mitnehmen: Kostenlos Deutsch lernen mit der DW, mehr auf www.dw.de/deutschlernen

S. 81:   © Picture Alliance, Globus-Infografik

S. 82:   © Deutsche Welle

S. 83:   © www.amsel.de, amsel, Aktion Multiple Sklerose Erkrankter, Landesverband der DMSG in Baden-Württemberg e.V. (unten)

S. 84:   © Berliner Zeitung/Silke Janowsky

S. 85:   © Axel Springer, BZ-Berlin vom 20.04.2012 – © Fotolia, Cynoclub (oben) – © iStockphoto, Eric Isselée (Mitte) – © Fotolia, Eric Isselée (unten)

S. 87:   © Identity Foundation

S. 88:   © Deutsche Welle

S. 89:   © Fotolia, Teena (links), Tille_man (rechts)

S. 112:   © Axel Springer, Deutsche Morgenpost vom 04.12.2011

S. 114:   © SPIEGEL ONLINE, Hannah Pilarzyk

S. 116:   © Picture Alliance, Globus-Infografik

S. 121:   © Tatsachen über Deutschland, www.tatsachen-ueber-deutschland.de

S. 124:   © Axel Springer, Berliner Morgenpost vom 15.10.2012

S. 136:   © Picture Alliance, Globus-Infografik

 Prüfungstraining | AP® German Language and Culture | © 2013 Cornelsen Schulverlage GmbH, Berlin. Alle Rechte vorbehalten.

Track list

Auf der CD finden Sie alle Hörtexte zu den Übungsaufgaben und zum Probetest. In Track 22 auf der zweiten CD sind die Pausen nicht mit aufgenommen. Sie werden an den entsprechenden Stellen aufgefordert, die CD für eine bestimmte Zeit zu stoppen.

CD 1			Track		page
Track		**page**	**Chapter 6**		
1	Nutzerhinweis		20	6-1	94
Chapter 2			21	6-2	95
2	2-1	34	22	6-3	96
3	2-2	37	23	6-4	97
4	2-3	40	24	6-5	98
5	2-4	43	25	6-6	99
6	2-5	46	26	6-7	100
7	2-6	49	27	6-8	101
Chapter 3			28	6-9	102
8	3-1	52	29	6-10	103
9	3-2	53			
10	3-3	54			
11	3-4	55	**CD 2: Practice Exam**		
12	3-5	56	1	Nutzerhinweis	
13	3-6	57	2–4	Multiple Choice: Part B, Auswahl 1	121
Chapter 5			5–7	Multiple Choice: Part B, Auswahl 2	124
14	5-1	79	8–10	Multiple Choice: Part B, Auswahl 3	127
15	5-2	81	11–13	Multiple Choice: Part B, Auswahl 4	129
16	5-3	83	14–16	Multiple Choice: Part B, Auswahl 5	130
17	5-4	85	17–19	Free Response: Part A	134
18	5-5	87	20–21	Free Response: Part B, Aufgabe 1	137
19	5-6	89	22	Free Response: Part B, Aufgabe 2	139

Sprecherinnen und Sprecher: Denis Abrahams, Shaunessy Ashdown, Marianne Graffam, Caroline Huy, Manon Kahle, Martin Klemrath, Kim Pfeiffer, Christian Schmitz, Felix Würgler

Tonstudio: Clarity Studio Berlin

Regie und Aufnahmeleitung: Susanne Kreutzer

Toningenieure: Christian Schmitz, Pascal Thinius

Große Sprünge in Deutsch

Das DaF-Lehrwerk **prima** macht's möglich

prima, unser 7-bändiges Lehrwerk für Jugendliche, die Deutsch als zweite Fremdsprache lernen, begeistert Dozentinnen und Dozenten in aller Welt.

Kein Wunder! **prima** erfüllt alle Ansprüche an motivierenden Unterricht, steckt voller kreativer Aufgaben, berücksichtigt die Alltagsthemen junger Menschen und leitet sie zum aktiven selbstständigen Lernen an. So werden alle sprachlichen Fertigkeiten kompetenzorientiert entwickelt – und der erfolgreiche Abschluss fällt leicht.

Vertrieb der *prima*-Reihe in den USA durch
Houghton Mifflin Harcourt
222 Berkeley Street
Boston, MA 02116
www.hmhco.com

Cornelsen Verlag
14328 Berlin
www.cornelsen.de

Willkommen in der Welt des Lernens